Francesco Forgione

'Ndrangheta

Boss luoghi e affari
della mafia più potente al mondo

La relazione della Commissione
Parlamentare Antimafia

Baldini Castoldi Dalai
Editori dal 1897
www.bcdeditore.it   e-mail: info@bcdeditore.it

La distribuzione geografica delle cosche nelle province calabresi è illustrata nell'inserto posto tra le pagine 96-97

2ª EDIZIONE

© 2008 Baldini Castoldi Dalai *editore* S.p.A. – Milano
ISBN 978-88-6073-384-9

A Pio La Torre,
per quello che ci ha lasciato

INDICE

I. UNA MAFIA LIQUIDA

Sono passate da poco le due della notte fra il 14 e il 15 agosto 2007 a Duisburg, nel Nord Reno-Westfalia. Sebastiano Strangio, trentanove anni, cuoco, calabrese originario di San Luca, chiude il suo ristorante e, con due camerieri e tre amici, si accinge a tornare a casa.

I sei sono appena entrati nelle macchine, parcheggiate a qualche decina di metri dal ristorante, quando vengono raggiunti e stroncati dal fuoco incrociato di due pistole calibro nove. Nel giro di pochi secondi vengono esplosi ben 54 colpi da esecutori spietati e lucidi. Lo testimoniano, fra l'altro, le rosate strette sulle fiancate delle macchine, il fatto che, ad azione in corso, i due esecutori abbiano addirittura sostituito i caricatori delle pistole, e il colpo di grazia inflitto con calma e determinazione a tutte le vittime.

Gli assassini scompaiono dopo aver completato il lavoro con i colpi di grazia. Nelle due macchine rimangono i cadaveri di Sebastiano Strangio, Francesco Giorgi (minorenne), Tommaso Venturi (che proprio quella sera aveva festeggiato i diciotto anni), Francesco e Marco Pergola (20 e 22 anni, fratelli, figli di un ex poliziotto del commissariato di Siderno) e Marco Marmo, principale obiettivo dell'inaudita azione di fuoco perché sospettato di essere

11

stato il custode delle armi utilizzate per uccidere, a San Luca il precedente Natale, Maria Strangio, moglie di Giovanni Nirta.

Le vittime fanno in vario modo riferimento al clan Pelle-Vottari, in lotta da oltre quindici anni con il clan Nirta-Strangio (non induca in errore il nome del cuoco che, pur chiamandosi Strangio, fa riferimento al clan Pelle Vottari).

Con la strage di Ferragosto a Duisburg la Germania e l'Europa scoprono attoniti la micidiale potenza di fuoco e l'enorme potenzialità criminale di una mafia proveniente dalle profondità remote e inaccessibili di un mondo rurale e arcaico.

Molte cose colpiscono gli stupefatti investigatori tedeschi e l'immaginario collettivo: la determinazione e la professionalità degli assassini, il numero e l'età dei morti, il fatto che la strage sia stata compiuta nel cuore dell'Europa civilizzata a migliaia di chilometri di distanza da San Luca e un santino bruciato – indicatore inequivoco di una recente affiliazione rituale – trovato in tasca a uno dei giovani assassinati.

Parte sotterraneo da San Luca ed erompe a Duisburg un connubio esplosivo fra vendette ancestrali e affari milionari, un misto di faide tribali e di spietata modernità mafiosa, producendo uno *shock* improvviso che atterrisce l'opinione pubblica e le autorità tedesche.

In realtà, però, i segni premonitori c'erano già tutti da tempo e la strage di Ferragosto è un indicatore tragico e quasi metaforico della sottovalutazione da parte delle autorità tedesche della 'ndrangheta e del suo grado di penetrazione e radicamento in quel Paese, oltre che in Europa e nel resto del mondo.

La presenza 'ndranghetista in Germania risalente già agli anni Settanta e Ottanta (quando a più riprese viene rilevata la presenza delle famiglie Farao di Cirò in provincia di Crotone, dei Mazzaferro di Gioiosa Ionica, delle famiglie di Reggio Calabria, delle storiche famiglie mafiose originarie di Africo, di San Luca, di Bova Marina e di Oppido Mamertina) era ben nota alle autorità tedesche anche solo per le richieste di assistenza giudiziaria e investigativa della magistratura e delle forze di polizia italiane.

Già nel 2001, l'indagine dei Carabinieri convenzionalmente denominata «Luca's» aveva segnalato, anche alle autorità tedesche, il ristorante «Da Bruno» davanti al quale si è verificata la strage, e in generale il cospicuo fenomeno del riciclaggio di denaro sporco nel settore della ristorazione, in quel Paese.

La segnalazione non aveva prodotto concreti risultati investigativi, e la percezione che si ricava da questo scarso riscontro (a parte le carenze della legislazione tedesca in materia di repressione del riciclaggio e, più in generale, di aggressione dei patrimoni illeciti) è che l'atteggiamento delle autorità tedesche fosse di rimozione del problema, considerato, in modo più o meno inconsapevole, affare altrui.

Affare degli italiani. Affare nostro.

La strage di Duisburg, come una metafora, spiega meglio di ogni discorso, meglio di ogni analisi, meglio di ogni riflessione, che il modello di crimine globale, rappresentato dalla 'ndrangheta, non è (solo) affare nostro.

Il 15 agosto ha rotto un tabù, ma chi fosse stato attento ai segnali, agli indizi, alle crepe, avrebbe potuto dire anche prima che era solo questione di tempo. Se nel sottosuolo della civilizzazione europea circolano certi fluidi ribollenti e miasmatici, prima o poi questi fluidi salteranno fuori, non appena si produca una crepa nella superficie.

La strage di Duisburg è stata come un geiser. Uno zampillo possente e micidiale che da una fessura del suolo ha scagliato verso l'alto, finalmente visibile a tutti, il liquido pericolosissimo di una criminalità che partendo dalle profondità più remote della Calabria si era da tempo diffusa ovunque nel sottosuolo oscuro della globalizzazione.

La crepa nella superficie in questo caso viene da lontano. Da un *altrove* inquietante e nascosto, lontano nello spazio e lontano nel tempo.

* * *

Questo *altrove* è San Luca, località strategica nella storia e nell'attualità della 'ndrangheta, luogo cruciale per il controllo dei traffici di droga che producono enormi profitti e sede altresì di una lunga e sanguinosa faida che vede lo scontro fra due gruppi familiari dell'aristocrazia mafiosa calabrese. Da un lato i Nirta-Strangio (principi del narcotraffico con basi in Olanda, Germania e oltreoceano) e dall'altro i Vottari-Pelle-Romeo (il cui capobastone, 'Ntoni Pelle negli anni passati era stato designato, al santuario della Madonna di Polsi, capo crimine, cioè reggente e garante di tutta la 'ndrangheta secondo il modello organizzativo federale elaborato dopo la guerra-pace del '91).

La faida nasce per un motivo banale, per una bravata di giovinastri finita in tragedia. È una sera di carnevale del 1991, un gruppo di ragazzi vicini alla famiglia Strangio prende a bersagliare con uova marce il circolo ricreativo di Domenico Pelle, facendosi beffe delle proteste e delle imprecazioni del titolare. L'offesa non rimane impunita e la sera di San Valentino due giovani della famiglia Strangio vengono uccisi, altri due feriti.

Da quel momento gli anni Novanta vengono segnati da un'impressionante sequenza di attentati e uccisioni che colpiscono ora l'una, ora l'altra parte in conflitto. La faida culmina nell'omicidio del Natale 2006 quando un gruppo di killer armati di pistole e fucili uccide Maria Strangio moglie di Giovanni Nirta. Seguono altri omicidi, latitanze volontarie (il comportamento, tipico di quella zona, di uomini che, pur non avendo pendenze giudiziarie, si danno a latitanze di fatto, si nascondono per sfuggire alla vendetta altrui o per preparare più agevolmente la propria), scosse sempre più intense e pericolose che preludono alla mattanza di Ferragosto.

Come si diceva, vari elementi di questo inaudito episodio colpiscono l'immaginario collettivo e l'intelligenza degli investigatori. Non sfugge, a questi ultimi:

- il ritrovamento, accanto alla sala del ristorante «Da Bruno», di un locale chiaramente destinato alle pratiche di affiliazione, con tutte le necessarie dotazioni iconografiche;
- il ritrovamento, nel portafogli di una delle vittime,

Tommaso Venturi, di un santino di San Michele parzialmente bruciato; chiaro indizio di un'affiliazione celebrata poco prima. Non sarà inutile al proposito ricordare che qualche ora prima, il 14 agosto, il giovane Venturi aveva festeggiato il diciottesimo compleanno potendosi da ciò desumere che l'ingresso formale nella consorteria mafiosa era stato fatto coincidere (secondo una tradizionale attenzione ai dettagli simbolici) con il passaggio alla maggiore età;

- la circostanza che la strage avveniva (come altri episodi topici della faida di San Luca), sempre in prospettiva simbolica e rituale, in un giorno di festa;
- il fatto che gli attentatori parlino il tedesco, come risulta pacificamente da una delle testimonianze raccolte nell'immediatezza del fatto e che dunque appartengano all'immigrazione criminale di seconda generazione o comunque evoluta, poliglotta e dunque più pericolosa.

Le indagini, finalmente coordinate, delle autorità italiane e tedesche, consentono ben presto di verificare l'ipotesi investigativa formulata subito dopo il fatto. Responsabili della strage sono infatti appartenenti alla cosca Nirta-Strangio, e personaggio chiave dell'eccidio è una figura paradigmatica della 'ndrangheta del terzo millennio, in perfetto equilibrio fra tradizione e modernità: Giovanni Strangio. Si tratta di un imprenditore della ristorazione in Germania (titolare di due ristoranti a Kaarst), è poliglotta, si muove con estrema disinvoltura sull'asse italo-tedesco e fino al dicembre 2006 (quando, in occasione dei funerali di Maria Strangio, viene arrestato dalla Polizia per detenzione di una pistola) era sostanzialmente incensurato. Che un soggetto con queste caratteristiche (e, lo si ripete, con un curriculum criminale pressoché inesistente), chiaramente dedito al segmento affaristico dell'attività criminale sia diventato uno dei ricercati più importanti d'Italia e d'Europa per la partecipazione a un'azione di sterminio eclatante e senza precedenti, dà un'idea efficace della posta in gioco per le cosche di San Luca.

Non vi è dubbio che gli appartenenti alla cosca Nirta-Strangio fossero consapevoli che il trasferimento della faida dalla Calabria in Germania avrebbe avuto l'effetto di accendere i riflettori sulla 'ndrangheta generando un'accelerazione investigativa da parte italiana e una presa di coscienza della gravità del fenomeno da parte tedesca.

È quanto emerge anche dal contenuto degli incontri tenuti in Germania, da una delegazione della Commissione parlamentare, nella missione preparatoria di questa relazione.

Chi aveva progettato quella strage con modalità così paurosamente spettacolari ne era ben consapevole, sapeva di dover pagare un prezzo e ha deciso di pagarlo pur di affermare la propria supremazia e il proprio progetto di potere criminale.

È così che una sanguinosa faida d'Aspromonte (peraltro inserita nella lista delle dieci priorità criminali, stilata nel 2007 dal capo della Dda di Reggio Calabria, Salvatore Boemi) porta all'attenzione dell'Europa e del mondo una mafia con caratteristiche singolari e apparentemente contraddittorie. Un modello criminale caratterizzato da impreviste e sorprendenti analogie con altri fenomeni della postmodernità. Un paradossale paradigma per gli studiosi moderni del concetto di efficacia.

* * *

Riflettere brevemente sul significato della parola 'ndrangheta non è un mero esercizio accademico e offre invece interessanti spunti di riflessione e analisi storica.

L'ipotesi etimologica più convincente fa riferimento al vocabolo greco *andragatia* il cui significato allude alle virtù virili, al coraggio, alla rettitudine.

L'*andragatia* è la qualità dell'uomo coraggioso, retto e meritevole di rispetto e la 'ndrangheta storicamente ha sempre cercato il consenso presentandosi come portatrice di questi valori popolari e in particolare di un sentimento di giustizia e ordine sociale che i poteri legali non erano in grado di assicurare, in ciò manipolando strumentalmente la sfiducia delle popolazioni nei confronti dello Stato e delle Istituzioni.

Quello che è chiaro, sin dai primi anni dello sviluppo della 'ndrangheta, è che essa non è un'organizzazione di povera gente ma una struttura (composta da soggetti che si autodefiniscono portatori di virtù altamente positive) molto più complessa e dinamica, che, pur se in modo autoreferenziale, si considera un'elite e tende all'occupazione delle gerarchie superiori della scala sociale.

Il principale punto di forza della 'ndrangheta è nella valorizzazione criminale dei legami familiari. La struttura molecolare di base è costituita dalla famiglia naturale del capobastone; essa è l'asse portante attorno a cui ruota la struttura interna della 'ndrina. È in ciò, come vedremo, la più importante ragione del successo della 'ndrangheta, della sua straordinaria vitalità attuale, della sua superiorità rispetto ad altre forme di aggregazione criminale.

Storicamente ogni 'ndrina familiare era autonoma e sovrana nel proprio territorio (di regola corrispondente al comune di residenza del capobastone), a meno che non ci fossero altre famiglie 'ndranghetiste. In tal caso si operava una divisione rigida del territorio e nei comuni più grandi dove c'erano più 'ndrine la coabitazione era regolata dal «locale», una sorta di struttura comunale all'interno della quale trovavano compensazione le esigenze, anche contrastanti, delle diverse famiglie.

È bene precisare che non c'è mai stata una struttura di vertice della 'ndrangheta calabrese paragonabile a quella della Commissione di Cosa nostra e fu solo nel 1991 che, per superare un conflitto che aveva generato diverse centinaia di omicidi, fu costituita una struttura unitaria di coordinamento.

Le donne hanno avuto e hanno attualmente un ruolo importante in questa realtà criminale, non solo perché con i loro matrimoni rafforzano la cosca d'origine, ma perché nella trasmissione culturale del patrimonio mafioso ai figli e nella diretta gestione degli affari illeciti durante la latitanza o la detenzione del marito, hanno, nel tempo, ricoperto ruoli oggettivamente sempre più rilevanti. La 'ndrangheta, tra l'altro, a differenza delle altre organizzazioni mafiose, prevede un formale (quantunque subordinato) inquadramento gerarchico per le donne, le quali possono giungere fino al grado denominato «sorella d'umiltà».

Per lungo tempo la 'ndrangheta è stata sottovalutata, quando non addirittura ignorata dagli studiosi dei fenomeni criminali organizzati. Per lungo tempo è stata letta come una folkloristica, ancorché sanguinaria, filiazione della mafia siciliana. Per lungo tempo è stata considerata un fenomeno criminale pericoloso ma primitivo e tale visione fu favorita, fra l'altro, da un'errata lettura dell'esperienza dei sequestri di persona. A uno sguardo superficiale tale pratica criminale richiamava quelle dei briganti dell'Ottocento o del banditismo sardo mentre una lettura più attenta avrebbe in seguito mostrato come i sequestri di persona costituirono una fonte strategica di accumulazione primaria, rafforzando al tempo stesso il controllo del territorio calabrese e il radicamento della 'ndrangheta nelle località del Centro e del Nord Italia.

Il trasferimento degli ostaggi nelle zone dell'Aspromonte, la lunga permanenza nelle mani dei carcerieri, la collaborazione delle popolazioni, la sostanziale incapacità dello Stato di interrompere le prigionie, conferirono prestigio alla 'ndrangheta, le diedero un alone di potenza e conferirono a quei territori – nell'immaginario collettivo – quasi una dimensione di extraterritorialità.

L'accumulazione primaria di cospicui capitali che in seguito sarebbero serviti a finanziare i più proficui traffici della cocaina si univa a un piano, negli anni sempre più esplicito e consapevole, di potere e di controllo del territorio e del consenso.

* * *

Oggi la 'ndrangheta, la mafia rurale e selvaggia dei sequestri di persona, è l'organizzazione più moderna, la più potente sul piano del traffico di cocaina (mediando fra le due rotte, quella africana e quella colombiana), quella capace di procurarsi e procurare micidiali armi da guerra e di distruzione, la più stabilmente radicata nelle regioni del Centro e del Nord Italia oltre che in numerosi Paesi stranieri. In tutte queste realtà operano attivamente delle 'ndrine che, a partire dagli anni Sessanta del Novecento e ancor prima – gli anni Trenta per quanto riguarda il Canada e l'Australia – si erano spostate dalla Calabria per spargersi letteralmente in tutto il mondo. Gli 'ndranghetisti arrivarono in questi nuovi territori dapprima al seguito degli emigrati, ma poi, e sempre più spesso, seguendo un'esplicita scelta politico-mafiosa di vera e propria colonizzazione criminale.

La 'ndrangheta affronta le sfide della globalizzazione con una modernissima utilizzazione di antichi schemi, combinando strutture familiari arcaiche e un'organizzazione reticolare, modulare o – per usare l'espressione di un grande studioso della modernità e della post modernità, Zygmunt Bauman – *liquida*. Su questa definizione e sulla sua utilità per comprendere la natura e la terribile efficacia del fenomeno, si tornerà più avanti.

Come si sottolinea in una recente relazione della Direzione Nazionale Antimafia, la chiave di volta organizzativa rimane «la struttura di base del locale (vero e proprio presidio territoriale, idoneo ad assicurare il controllo del territorio, da intendersi nella sua accezione più ampia, comprensiva di economia, società civile, organi amministrativi territoriali; mentre la cosca assume caratteri operativi dinamici, flessibili, in relazione alle esigenze poste da attività criminali che si articolano su territori più ampi di quelli di riferimento originario), ma proprio in relazione al narcotraffico e ad altri traffici internazionali in genere, la 'ndrangheta ha assunto un assetto organizzativo da rete criminale.»

La struttura di base di tipo familiare ha rappresentato un decisivo fattore di riduzione del danno prodotto dai collaboratori di giustizia e ha permesso una penetrazione e un radicamento formidabili al di fuori della Calabria.

Tra gli anni Ottanta e Novanta la tempesta dei collaboratori di giustizia travolse Cosa nostra, la camorra, la Sacra Corona Unita e le altre mafie pugliesi. Solo la 'ndrangheta attraversò questa bufera quasi indenne o comunque limitando fortemente i danni: i pentiti furono pochi, e pochissimi quelli con posizioni di vertice nei sodalizi criminali. La ragione di ciò è proprio nello schema familiare della 'ndrina: se la cosca è costituita in primo luogo dai membri della famiglia, la scelta di collaborazione con la giustizia (in generale non facile) può diventare straordinariamente lacerante e pressoché insopportabile. Lo 'ndranghetista che decida di collaborare è infatti tenuto in primo luogo ad accusare i propri familiari, il padre, il fratello, il figlio, trovandosi a dover infrangere un tabù ancora più potente di quello costituito dall'obbligo di fedeltà mafiosa sancito nelle cerimonie di affiliazione e innalzamento.

Si tratta di uno straordinario fattore di protezione, di un anticorpo interno e strutturale del modello 'ndranghetistico, di un potente fattore di vitalità.

Sul lungo periodo il modello organizzativo della 'ndrangheta si è dunque rivelato più agile, più flessibile, più efficace di quello gerarchico, monolitico e rigido di Cosa nostra, rispetto al quale l'aggressione del vertice del sodalizio ha costituito finora un'efficace strategia di indebolimento e di disarticolazione. Strategia inattuabile contro la 'ndrangheta per l'inesistenza, anche dopo la pace del 1991 (quella che seguì alla sanguinosa guerra fra i De Stefano e gli Imerti-Condello che in poco più di cinque anni lasciò per le strade della Calabria molte centinaia di morti) e la conseguente introduzione di una struttura centrale di coordinamento e composizione dei conflitti.

I mafiosi calabresi sono considerati dai cartelli colombiani come i più affidabili per la loro capacità di gestione degli affari criminali, per la loro disponibilità di basi d'appoggio in tutta Italia, in tutta Europa e in tutto il mondo (oltre alla Calabria, ovviamente, il Centro e il Nord Italia, la Francia, la Germania, il Belgio, l'Olanda, la Gran Bretagna, il Portogallo, la Spagna, la Svizzera, l'Argentina, il Brasile, il Cile, la Colombia, il Marocco, la Turchia, il Canada, gli Usa, il Venezuela, l'Australia) e, come si diceva, per la loro ridotta permeabilità al pericoloso fenomeno dei collaboratori di giustizia.

Oggi dunque la 'ndrangheta ha una sostanziale esclusiva per l'importazione in Europa di cocaina colombiana ed è alla 'ndrangheta che le altre mafie italiane, Cosa nostra inclusa, devono rivolgersi per gli approvvigionamenti di questo stupefacente.

Questo riferimento all'espansione nazionale e internazionale della 'ndrangheta, ci introduce all'analisi più approfondita del secondo, congiunto fattore di successo di questa forma del crimine organizzato. Tale fattore di successo – direttamente collegato e anzi interconnesso a quello della struttura familiare – consiste nell'attitudine colonizzatrice, e anzi nella vera e propria scelta strategica della 'ndrangheta di impiantarsi e di radicarsi nelle regioni del Centro e del Nord Italia, a partire dalla metà degli anni Cinquanta del Novecento.

Inizialmente gli 'ndranghetisti arrivarono nelle regioni del Centro-nord non per scelta ma perché inviati al confino di Polizia. In quegli anni si riteneva che per contrastare il potere criminale nelle regioni del sud fosse necessario recidere i legami del mafioso con il suo ambiente d'origine. Lo strumento era quello del soggiorno obbligato che imponeva al sospetto mafioso di risiedere per un determinato numero di anni – dai 3 ai 5 – fuori dal suo comune di nascita o di residenza. In tal modo i mafiosi, dapprima siciliani e poi via via campani e calabresi, furono inviati nelle regioni centro-settentrionali, in comuni possibilmente piccoli e comunque lontani da centri che avessero stazioni ferroviarie o strade di grande comunicazione. Ma l'idea di recidere i legami con il territorio (adatta a un'epoca pre-moderna) non poteva funzionare in un periodo storico in cui rapidissimo era già lo sviluppo dei trasporti e delle telecomunicazioni. Ferrovie, autostrade, aerei e lo sviluppo della telefonia consentirono sostanzialmente di annullare l'effetto dei provvedimenti di soggiorno obbligato e ciò anche in relazione a una nota paradossale della relativa disciplina.

Se infatti il soggiornante non poteva spostarsi dalla sua sede, non c'era nulla che vietasse che altri lo raggiungessero nelle sedi del soggiorno. Il contesto mafioso si riproduceva dunque nelle località di soggiorno obbligato dove si verificavano riunioni operative e financo cerimonie di affiliazione.

Fu in tale contesto che si fece strada nelle 'ndrine l'idea di seguire l'ondata migratoria (più o meno forzosa) e di trapiantare pezzi delle famiglie mafiose al Centro-nord. Dapprima fu una necessità, poi diventò una scelta strategica che coinvolse alcune fra le famiglie più prestigiose della 'ndrangheta, le quali intuirono le enormi possibilità operative di una simile proiezione (che divenne vera e propria occupazione, in alcuni casi) verso le ricche e sicure terre del Centro e del Nord Italia.

Il piano di colonizzazione della 'ndrangheta fu inconsapevolmente favorito dalle scelte di politica sociale e urbanistica degli amministratori settentrionali che concentrarono i lavoratori meridionali nelle periferie delle grandi città, in veri e propri ghetti, dove fu facile per gli esponenti delle 'ndrine ricreare il clima, i rituali e le gerarchie esistenti nei paesi d'origine. In alcune realtà il controllo della 'ndrangheta divenne asfissiante. L'esempio più clamoroso è quello di Bardonecchia dove il condizionamento del mercato del lavoro e lo stesso Consiglio comunale fu sciolto per infiltrazioni mafiose. Altri comuni dell'hinterland milanese come Corsico e Buccinasco, ancora oggi, sono pesantemente condizionati dalla 'ndrangheta.

In estrema sintesi e conclusivamente sul punto si può dire che la 'ndrangheta è l'unica organizzazione mafiosa ad avere due sedi; quella principale in Calabria, l'altra nei comuni del Centro-nord Italia oppure nei principali Paesi stranieri che sono cruciali per i traffici internazionali di stupefacenti. Un'organizzazione mafiosa che trova il modo di affrontare le sfide e i cambiamenti imposti dalla modernità globale, nel modo più sorprendente e inatteso: rimanere uguale a se stessa. In Calabria come nel resto del mondo.

Non sarà inutile ricordare in proposito che nel 1988 l'allora dirigente della Squadra Mobile di Cosenza Nicola Calipari (poi divenuto dirigente del Sismi e ucciso a Bagdad il 4 marzo 2005 durante una missione) recuperò in un appartamento a Sydney un incartamento con rituali di affiliazione, formule di giuramento e codici. Un incartamento simile per molti aspetti a quello sequestrato dai Carabinieri nelle campagne di San Luca già negli anni Trenta del secolo scorso.

Il rispetto della tradizione criminale come premessa per la proiezione nazionale e internazionale dei traffici illeciti.

Negli ultimi anni numerosissime indagini hanno messo in luce queste caratteristiche della 'ndrangheta e hanno mostrato come essa sia oramai l'organizzazione più ramificata e radicata territorialmente nelle regioni centrosettentronali e in molti Paesi stranieri di tutti i continenti.

Basterà citare una sola di queste indagini, a mero titolo esemplificativo, per avere un'idea delle dinamiche criminali, delle proiezioni nazionali e internazionali, delle enormi proporzioni economiche del fenomeno.

Nel 2004 l'operazione convenzionalmente denominata «Decollo» concludeva una complessa indagine transnazionale durata alcuni anni che aveva interessato diverse regioni italiane: Lombardia, Calabria, Emilia-Romagna, Campania, Lazio, Liguria, Piemonte e Toscana; e poi Paesi stranieri come Colombia, Australia, Olanda, Spagna e Francia. Le famiglie Mancuso di Limbadi e Pesce di Rosarno furono accusate di aver immesso sul mercato «ingentissimi quantitativi di cocaina tra il Sud America (Colombia e Venezuela), l'Europa (Italia, Francia, Spagna, Olanda e Germania), l'Africa (Togo) e l'Australia, riciclandone quindi i proventi con le più diversificate tecniche di trasferimento e di dissimulazione.» La droga era nascosta all'interno di containers che trasportavano carichi di marmo, plastica, cuoio, scatole di tonno, materiale tutto oggetto di import-export tra Sud America ed Europa. Una partita di droga di 434 kg di cocaina era arrivata al porto di Gioia Tauro nel marzo del 2000, un'altra di 250 kg sempre di cocaina proveniente da Cartagena in Colombia era arrivata a Gioia Tauro nel gennaio del 2004. Tra le due date, d'inizio e di conclusioni delle indagini, una miriade di altri episodi. Una parte del riciclaggio dei proventi avveniva in Australia attraverso «un sofisticato meccanismo di intermediazione che vedeva l'impiego di specialisti in grado di assicurare i passaggi bancari necessari a perfezionare i trasferimenti del denaro.»

Il contagio delle 'ndrine da Limbadi e Rosarno all'Australia. Da San Luca a Duisburg. Molecole criminali che schizzano, si diffondono e si riproducono nel mondo. Una mafia liquida, che si infiltra dappertutto, riproducendo, in luoghi lontanissimi da quelli in cui è nata, il medesimo antico, elementare ed efficace modello organizzativo. Alla maniera delle grandi catene di fast food, offre in tutto il mondo, in posti fra loro diversissimi, l'identico, riconoscibile, affidabile marchio e lo stesso prodotto criminale.

Alla maniera di Al Qaeda, con un'analoga struttura tentacolare priva di una direzione strategica ma caratterizzata da una sorta di intelligenza organica, ha una vitalità pervasiva come quella delle neoplasie, ed è munita di una ragione sociale di enorme, temibile affidabilità.

Il segreto per la 'ndrangheta è questo. Tutto nella tensione fra un *qui* remoto e rurale e arcaico e un *altrove* globalizzato, postmoderno e tecnologico. Tutto nella dialettica fra la dimensione familiare del nucleo di base, e la diffusione mondiale della rete operativa.

La capacità di far coesistere con inattesa efficacia una dimensione tribale con un'attitudine moderna e globalizzata è stata fino a oggi la ragione della corsa al rialzo delle azioni della 'ndrangheta nella borsa mondiale delle associazioni criminali. Proprio questa tensione, questo fattore di successo potrebbe rivelarsi però, in prospettiva, un fattore di disgregazione. Le 'ndrine infatti sono, individualmente considerate, troppo piccole per reggere gli enormi traffici che hanno messo in moto. Sono in continua competizione fra loro e, paradossalmente, la loro diffusione planetaria si accompagna a un'intensificata ossessione per il controllo (militare, politico, amministrativo, affaristico) dei circoscritti territori di rispettiva competenza. Una febbre di crescita, una situazione instabile ed entropica che comincia a produrre gravi scricchiolii e potrebbe generare una crisi di sistema.

Sul punto è necessaria qualche precisazione.

La 'ndrangheta si è mossa sempre cercando di evitare la sovraesposizione, la luce dei riflettori, l'attenzione dei media. Le 'ndrine si sono combattute in modo sanguinoso, hanno ucciso migliaia di persone, hanno intimidito con minacce e attentati centinaia di amministratori locali, ma non hanno mai realizzato azioni capaci di attirare in modo durevole l'attenzione nazionale e men che meno quella internazionale.

La 'ndrangheta ha in sostanza adottato una strategia opposta a quella dei corleonesi e la Calabria non ha mai conosciuto una stagione di stragi o di morti eccellenti. Fanno eccezione gli omicidi di Ludovico Ligato nel 1989 e di Antonino Scopelliti nel 1991, ma si tratta appunto di eccezioni, caratterizzate da specifiche peculiarità e che non alterano i termini di un modello di condotta mantenuto sostanzialmente integro nei decenni.

In quest'ultimo biennio però, sono accaduti fatti che mettono in crisi quel modello e la febbre di crescita cui si faceva cenno ha generato azioni clamorose che non trovano riscontro nella lunga storia precedente.

Una di queste azioni è la strage di Duisburg. L'altra è l'omicidio di Francesco Fortugno, vicepresidente del Consiglio regionale della Calabria, colpito dai sicari mentre usciva dal seggio dove aveva votato per le primarie dell'Unione. La prima volta che la 'ndrangheta mira così in alto nella gerarchia politico-amministrativa.

In entrambi i casi la 'ndrangheta accetta il rischio che queste azioni comportano. Per entrambi i casi, forse, l'accettazione di questo rischio potrebbe rivelarsi un calcolo sbagliato.

1. Le origini

1869. Quell'anno gli elettori della città di Reggio Calabria furono chiamati a votare per due volte. Le elezioni amministrative erano state annullate e si dovettero rifare. L'attiva presenza in campagna elettorale e durante le votazioni di elementi mafiosi aveva alterato il risultato della competizione. In quelle giornate si erano registrati anche fatti di sangue. Tra le altre persone colpite, anche un medico, sfregiato al volto in pieno giorno. Il fatto, per quei tempi era enorme e aveva suscitato scalpore e scandalo nell'opinione pubblica. Il prefetto di Reggio Calabria, che si era recato personalmente dalla vittima per verificare le circostanze dell'accaduto, era convinto, come scrisse in una relazione, che «lo sfregio» fosse stato fatto «per grane elettorali». I giornali locali scrissero apertamente di mafiosi che giravano impunemente per le vie della città e denunciarono il fatto che i partiti fossero «obbligati a far transazioni con gente di equivoca rispettabilità.» Siamo nel lontanissimo 1869, potremmo essere ai nostri giorni.

Uno dei lati meno conosciuti della 'ndrangheta è proprio il suo rapporto con la politica che, com'è accaduto per Cosa nostra e la camorra, è molto antico anche se è stato meno visibile e a lungo ritenuto inesistente o sottovalutato nella sua dimensione e importanza. Essa si è inserita nelle litigiosissime lotte per il potere che in Calabria per un lunghissimo periodo storico – dalla metà dell'Ottocento in poi – si sono caratterizzate come uno scontro furibondo tra famiglie contrapposte che si contendevano i voti usando tutti i mezzi, non esclusi i metodi violenti e mafiosi.

A inizio decennio, nel 1861, il prefetto di Reggio Calabria aveva notato un'attività di camorristi. Chiamava così i delinquenti dell'epoca non avendo altro nome per definirli. La scoperta del termine 'ndrangheta è molto più recente e per trovarne le prime tracce dobbiamo arrivare alla metà del secolo scorso.

La 'ndrangheta è l'organizzazione mafiosa meno conosciuta e meno indagata. Uno dei suoi punti di forza risiede esattamente in questa scarsa conoscenza e debole attività investigativa che le ha consentito di agire indisturbata senza subire le attenzioni riservate storicamente da parte degli inquirenti alla mafia siciliana. Per anni e anni essa è stata considerata un'organizzazione criminale secondaria, una mafia minore, una mafia di serie B. Non a caso tutte le proposte fatte a partire dagli anni Sessanta da parlamentari calabresi, da sindaci, da varie organizzazioni di estendere la competenza della Commissione Parlamentare Antimafia anche in Calabria oltre che in Sicilia sono sempre cadute nel nulla. Si arrivò a estendere la competenza superando il vincolo territoriale che la relegava alla Sicilia molto tardi, nella X Legislatura con la Commissione antimafia presieduta dal senatore Gerardo Chiaromonte.

Molti ritenevano che il fenomeno mafioso calabrese fosse espressione degli ultimi decenni e fosse nato durante il boom economico degli anni Sessanta che aveva portato grandi cambiamenti anche in Calabria determinando un'accelerazione anche dei processi criminali e mafiosi. Era un grosso abbaglio. Quello che allora apparve a molti come un fenomeno nuovo e originale era in realtà la manifestazione più recente e più evidente di un fenomeno molto antico. La 'ndrangheta, insomma, non era nata negli anni Sessanta del secolo scorso, come molti scrissero e dissero.

La sua nascita avviene sotto forma di società segreta e non vi è dubbio che il modello di società segreta più vicino, più simile, più aderente alla realtà, ai valori, alle esigenze della delinquenza organizzata, fosse rappresentato dalla massoneria e dalle società segrete che fiorirono nella prima metà dell'Ottocento, importate in Calabria dai francesi di Gioacchino Murat, con programmi anticlericali, giacobini e pre-risorgimentali. Tale caratteristica è molto importante per la comprensione del fenomeno e della sua evoluzione sino ai nostri giorni. Essa aveva sicuramente una duplice funzione: la prima, difensiva, per assicurare invisibilità rispetto al potere ufficiale, alla repressione poliziesca e giudiziaria; la seconda, offensiva, per meglio realizzare l'inserimento nei circuiti del potere, nella società e nello Stato. Una siffatta caratteristica, mutuata dalla massoneria del tempo, conservò intatta la sua forza coesiva e il suo vincolo omertoso, rendendo la 'ndrangheta unica, pur nelle sue continue trasformazioni, nel panorama delle organizzazioni criminali.

La 'ndrangheta – «picciotteria» è il termine usato fino all'inizio del nuovo secolo – è già presente in molti comuni della Calabria post-unitaria, ma lo Stato di allora non ne coglie l'importanza e la pericolosità. Molti, però, non si accorsero della sua attività solo perché non ne era conosciuto il nome, mentre le azioni che segnavano il suo progredire venivano attribuite a formazioni criminali di varia denominazione che non venivano ricomprese in un'associazione riconoscibile con un nome, un'identità, un'organizzazione comune. Erano in pochi a vedere come invece quei fatti potevano essere attribuiti a un fenomeno che stava prendendo sempre più piede e andava radicandosi.

Si estendeva anche grazie a un sapiente uso dei codici e dei rituali, di modalità simboliche e immaginifiche che avevano il potere di affascinare i giovani, di attrarli nell'orbita 'ndranghetista, di educarli alla legge dell'omertà e alla convinzione che ci fossero altre leggi più importanti di quelle dello Stato e che tutto ciò fosse appannaggio di una società speciale, composta da «veri» uomini: gli uomini d'onore.

Sorgono così le 'ndrine a carattere familiare e si diffondono nelle città e nei villaggi più sperduti. Ogni 'ndrina comanda in forma monopolistica nel suo territorio ed è autonoma dalle altre 'ndrine operanti nei territori vicini. Il modello organizzativo della 'ndrangheta si fonda sul «locale», presente sul territorio laddove esiste un aggregato di almeno 40 uomini d'onore, con un'organizzazione gerarchica che affida il ruolo di «capo società» a chi possiede il grado di «sgarrista», regolando la vita interna su rigide e vincolanti regole: assoluta fedeltà e assoluta omertà.

Il mondo esterno, separato da quello della 'ndrina, era composto da soggetti definiti «contrasti», categoria inferiore destinataria di disprezzo e dagli uomini dello Stato, gratificati dal giudizio «d'infamità».

Nella 'ndrangheta sono sempre esistiti accordi tra famiglie di diversi comuni ed è anche capitato che «capobastone» influenti e prestigiosi estendessero la loro influenza nei territori vicini a quello dov'era insediata la propria famiglia, ma non si è mai arrivati a un centro di comando unico. Per trovare qualcosa di simile dobbiamo arrivare agli accordi successivi alla guerra di mafia tra il 1985 e il 1991.

2. Le differenze rispetto alle altre mafie

Il modello organizzativo è profondamente differente dalle altre organizzazioni mafiose: si basa sulla forza dei vincoli familiari e sull'affidabilità garantita da questi legami, un formidabile cemento che unisce e vincola gli 'ndranghetisti uno all'altro e ne impedisce defezioni e delazioni. Lo si vide quando esplose il fenomeno dei collaboratori di giustizia. La 'ndrangheta ha avuto sicuramente un numero meno rilevante di collaboratori e fra essi nessuno era un capo famiglia. Né ci sono mai stati collaboratori dello spessore criminale di quelli siciliani o campani. La struttura familiare e i suoi codici morali hanno impedito a molti 'ndranghetisti di parlare. Tra l'altro, il fatto che le 'ndrine fossero autonome l'una dalle altre ha fatto sì che le poche collaborazioni colpissero la famiglia di appartenenza lasciando intatte le altre, anche le più vicine al loro territorio.

Su questo aspetto è utile un approfondimento. Le collaborazioni di un certo spessore degli anni Novanta sono rimaste in linea di massima casi isolati. Tuttavia le ultime audizioni effettuate in Commissione colgono i segni di una possibile inversione di tendenza. Secondo Mario Spagnuolo, procuratore aggiunto della Dda di Catanzaro, «negli ultimi 4 anni, si è riscontrato un aumento esponenziale (qualitativamente appagante) di collaboratori di giustizia e questo non solo nelle zone in cui tradizionalmente si collabora (il cosentino) ma anche nel crotonese, qualche buon collaboratore di giustizia nel vibonese, ma, soprattutto, sono aumentati i testimoni di giustizia».[1] E questa rappresenta una novità che incide favorevolmente sul rapporto tra lo Stato e colui che mette la propria vita nelle mani della giustizia.

Appare inoltre significativo quanto affermato dal direttore della Direzione Anticrimine Centrale della Polizia di Stato, Franco Gratteri: «per quanto riguarda i collaboratori, posso dire che esponenti organici a famiglie del crotonese, persone importanti che hanno commesso azioni illecite, violente e di una certa gravità, hanno scelto o stanno scegliendo di collaborare. Si tratta di un fatto importante, ma da prendere per quello che è e non saprei

---

1. Commissione parlamentare di inchiesta sul fenomeno della criminalità organizzata mafiosa o similare, Audizione del procuratore aggiunto della Dda di Catanzaro, Mario Spagnuolo, 5 febbraio 2008, pagg. 12-13.

dove possa portare in futuro».[2] Dalle parole del direttore emerge però tutta la complessità del rapporto tra i collaboratori della 'ndrangheta e la giustizia e la difficoltà nel trasformare il fenomeno della collaborazione in un dato acquisito e costante dell'azione di contrasto.

I dati ci indicano comunque che dal 1994 al 2007, i collaboratori di giustizia in Calabria, pongono la 'ndrangheta al terzo posto per collaborazioni dopo la camorra e Cosa nostra.

Su un totale complessivo di 794 collaboratori di giustizia solo 100 provengono dalla 'ndrangheta (il 12,6%), mentre 243 dalla mafia siciliana, 251 dalla camorra, 85 dalla SCU, 115 da altre organizzazioni.[3]

In controtendenza invece, risulta essere il dato relativo ai testimoni di giustizia.[4] In particolare, su un totale di 71

---

2. Commissione parlamentare di inchiesta sul fenomeno della criminalità organizzata mafiosa o similare, Audizione del direttore della Direzione Anticrimine Centrale della Polizia di Stato, Franco Gratteri, 6 febbraio 2008, pag. 14.
3. Dati forniti dalla Commissione centrale per la definizione e applicazione delle speciali misure di protezione al 30 aprile 2007.
4. Nel corso dell'audizione del 5 febbraio 2008, il sostituto procuratore della Dda di Catanzaro, Marisa Manzini, rileva che nell'ultimo periodo vi sono collaborazioni importanti da parte di testimoni di giustizia (Gaetano Ruello, che ha reso testimonianza per le indagini sul gruppo Lo Bianco, i testimoni Giuseppe Grasso e Francesca Franzè, due imprenditori del territorio, Giuseppe Scrive e altri ancora coperti dal segreto istruttorio). Commissione parlamentare di inchiesta sul fenomeno della criminalità organizzata mafiosa o similare, Audizione del sostituto procuratore della Dda di Catanzaro, Marisa Manzini, 5 febbraio 2008, pag. 32.

testimoni, quelli che hanno reso dichiarazioni su fatti di
'ndrangheta sono 19 (circa il 27%); su fatti di camorra 26,
sulla mafia siciliana 12 (e qui emerge altro dato significativo), 2 sulla Sacra Corona Unita e infine 12 su altre organizzazioni.[5]

3. 'Ndrangheta e massoneria

Gli anni Settanta rappresentano un vero e proprio spartiacque che segnerà il corso e la storia della 'ndrangheta,
ponendo le basi della sua evoluzione sino a giungere alla
potenza economica e militare che oggi ne contraddistin-
gue il ruolo sui territori e nello scenario criminale internazionale.

In quegli anni si salda anche il tanto analizzato e indagato rapporto con la massoneria, storicamente radicata
nella società calabrese.

Scrivono a questo proposito i magistrati della Dda di
Reggio Calabria: «Si tratta dell'ingresso dei vertici della
'ndrangheta nella massoneria, che non può avvenire se
non dopo un mutamento radicale nella "cultura" e nella
politica della 'ndrangheta, mutamento che passa da un atteggiamento di contrapposizione, o almeno di totale di-
stacco, rispetto alla società civile, a un atteggiamento di
integrazione, alla ricerca di una nuova legittimazione, fun-

---

5. Dati forniti dalla Commissione centrale per la definizione e applicazione delle speciali misure di protezione al 30 aprile 2007.

zionale ai disegni egemonici non limitati all'interno delle organizzazioni criminali, ma estesi alla politica, all'economia, alle istituzioni. L'ingresso nelle logge massoniche esistenti o in quelle costituite allo scopo doveva dunque costituire il tramite per quel collegamento con quei ceti sociali che tradizionalmente aderivano alla massoneria, vale a dire professionisti (medici, avvocati, notai), imprenditori, uomini politici, rappresentanti delle istituzioni, tra cui magistrati e dirigenti delle forze dell'ordine. Attraverso tale collegamento la 'ndrangheta riusciva a trovare non soltanto nuove occasioni per i propri investimenti economici, ma sbocchi politici impensati e soprattutto quella copertura, realizzata in vario modo e a vari livelli (depistaggi, vuoti di indagine, attacchi di ogni tipo ai magistrati non arrendevoli, aggiustamenti di processi, ecc.), cui è conseguita per molti anni la sostanziale impunità che ha caratterizzato tale organizzazione criminale, rendendola quasi "invisibile" alle istituzioni, tanto che solo da un paio di anni essa è balzata all'attenzione dell'opinione pubblica nazionale e degli organi investigativi più qualificati. Naturalmente l'inserimento nella massoneria, che per quanto inquinata, restava pur sempre un'organizzazione molto riservata ed esclusiva, doveva essere limitato a esponenti di vertice della 'ndrangheta, e per fare questo si doveva creare una struttura elitaria, una nuova dirigenza, estranea alle tradizionali gerarchie dei "locali", in grado di muoversi in maniera spregiudicata, senza i legami culturali della vecchia onorata società. Nuove regole sostituivano quelle tradizionali, che restavano in vigore solo per i gradi meno elevati e per gli ingenui, ma non vincolavano certo personaggi come Antonio Nirta o Giorgio De Stefano, che si muovevano con tranquilla disinvoltura tra apparati dello Stato, servizi segreti, gruppi eversivi. Persino l'attività di confidente, un tempo simbolo dell'infamia, era adesso tollerata e praticata, se serviva a stabilire utili relazioni con rappresentanti dello Stato o se serviva a depistare l'attività investigativa verso obiettivi minori». E più oltre: «Esigenze razionalizzatrici dunque, che in qualche modo anticipavano e preparavano quei nuovi assetti della 'ndrangheta che hanno formato oggetto della presente indagine, ma che rispondevano anche alla necessità di "segretazione" dei livelli più elevati del potere mafioso, al fine di sottrarli alla curiosità degli apparati investigativi e alle confidenze dei livelli bassi dell'organizzazione».[6]

Un lungo filo rosso unisce dunque 'ndrangheta e massoneria, anche se, stando alle pacifiche conclusioni alle quali sono pervenute indagini giudiziarie e storiche, la reciproca compenetrazione delle due società segrete si consolidò a partire dalla seconda metà degli anni Settanta, in singolare e non certo casuale consonanza con quanto avveniva dentro Cosa nostra, come ebbe a riferire il collaboratore di giustizia Leonardo Messina davanti alla Commissione Parlamentare Antimafia: «Molti degli uomini d'onore, cioè quelli che riescono a diventare dei capi, appartengono alla massoneria. Questo non deve sfuggire alla Commissione, perché è nella massoneria che si possono

---

6. Richiesta Pm della Dda di Reggio Calabria, di misura cautelare del 21.12.1994, nel processo n. 46/93, più noto come operazione «Olimpia».

avere i contatti totali con gli imprenditori, con le istituzioni, con gli uomini che amministrano il potere diverso da quello punitivo che ha Cosa nostra».

Rimane dunque aperto il tema di come rendere efficace il livello giudiziario e penale quando emerge una dimensione occulta del potere e la sua doppiezza.

Le conclusioni sin qui riferite trovano riscontro in alcuni dei documenti «interni» della 'ndrangheta. In essi si fa riferimento alle formule di iniziazione alla «Santa», la struttura di 'ndrangheta creata nella metà degli anni Settanta del secolo scorso. A essa potevano essere ammessi i giovani e ambiziosi esponenti delle cosche, smaniosi di rompere le catene dei vecchi vincoli della società di sgarro e di misurarsi con il mondo esterno, che offriva infinite possibilità di inserimento, di arricchimento, di gratificazione. Due sono gli elementi che appaiono decisivi. Il primo è costituito dall'impegno assunto dai santisti di «rinnegare la società di sgarro». Dunque le vecchie regole, ancora valide per tutti i «comuni» mafiosi, non valgono più per la nuova èlite della 'ndrangheta.

I santisti possono entrare in contatto con politici, amministratori, imprenditori, notai, persino magistrati ed esponenti delle forze dell'ordine, se questo può essere utile per l'aggiustamento dei processi, per lo sviamento delle indagini, per stabilire rapporti sotterranei di confidenza e di reciproco scambio di favori. L'infamità non rappresenta più uno sbarramento invalicabile, può essere aggirata e superata in vista dei vantaggi che la rete dei contatti non più preclusi può assicurare.

Il secondo importante elemento è costituito dalla «terna» dei personaggi di riferimento prescelti per l'organizzazione della «Santa». Non più gli Arcangeli della società di sgarro – Osso, Mastrosso e Carcagnosso, giunti dalla Spagna in Italia dopo 29 anni vissuti nelle grotte di Favignana – ma personaggi storici, ben noti nella tradizione culturale e politica italiana: Garibaldi, La Marmora, Mazzini. I primi due, generali dell'esercito italiano, un tempo, in quanto portatori di divisa al servizio dello Stato, sarebbero stati considerati «infami» per definizione, per eccellenza. Come va spiegato allora un richiamo così solenne ed esplicito a tali personaggi? Qual è il messaggio che attraverso tale indicazione si vuole mandare al popolo della 'ndrangheta? La risposta è chiara se si osserva come Garibaldi, La Marmora, Mazzini erano tutti e tre appartenenti a logge massoniche, per di più in posizioni di vertice (Garibaldi fu Gran Maestro del Grande Oriente d'Italia dal 24 maggio all'8 ottobre del 1864).

La 'ndrangheta, insomma, da corpo separato, si trasforma in componente della società civile, in potente *lobby* economica, imprenditoriale, politica, elettorale. Da allora diventa l'interlocutore imprescindibile, il convitato di pietra, di ogni affare, investimento, programma di opere pubbliche avviato sia a livello regionale che centrale, ma anche di ogni consultazione elettorale, amministrativa e politica.

Per arrivare a questo risultato, tuttavia, i santisti non potevano entrare in contatto «diretto» con gli esponenti delle istituzioni e del potere economico, almeno all'epoca. Oggi, probabilmente, tutto questo è possibile senza mediazioni, ma in quella fase storica era necessario passare attraverso camere di compensazione, che consentissero a quei contatti la necessaria dose di riservatezza, affidabilità, sicurezza. Furono le logge massoniche a offrire una tale possibilità. Non tutte certo. Alcune di quelle già esistenti diedero la propria disponibilità, altre furono create per l'occasione, ma sicuramente il sistema massonico-mafioso costituì il formidabile strumento di integrazione delle mafie nel sistema di potere dominante e di captazione nella borghesia degli affari.

Da allora in avanti, il fenomeno 'ndrangheta appare sempre più con i caratteri di componente strutturale della società meridionale, e non solo, di «istituzione tra le istituzioni», di attore diretto e principale delle politiche di sviluppo, di investimento, realizzate in quelle aree da parte delle istituzioni comunitarie e nazionali. Per questo è verosimile che il ruolo della massoneria, accertato e necessario in altre fasi, sia in gran parte superato, almeno nelle forme finora conosciute.

È però necessario abbandonare alcune categorie interpretative fortemente radicate nella cultura dell'antimafia, categorie che appaiono oggi superate e addirittura di ostacolo a una lettura idonea a fornire strumenti di analisi e soprattutto di contrasto in grado di avere una qualche possibile efficacia.

La prima categoria è quella dell'emergenza. Se la 'ndrangheta vive e opera dall'Unità d'Italia e se essa, con il passare di oltre un secolo e mezzo, ha conservato intatte fisionomia e presenza, accrescendo la sua forza economica e il potere di condizionamento politico, allora di emergenziale nella sua presenza vi è davvero poco. È piuttosto un fenomeno dinamico, funzionale all'attuale assetto economico-sociale e quindi non contrastabile solo con i consueti interventi repressivi di carattere giudiziario. La definizione della mafia come «antistato», poi, è di quelle che appaiono suggestive e accattivanti ma legate all'immagine di una criminalità simile al fenomeno terroristico, intenzionata cioè ad abbattere lo Stato di diritto per sostituirsi ad esso. Di fronte a un fenomeno storico di tale portata, non solo non vi è mai stata una seria, duratura, coerente volontà politica di condurre un'azione di contrasto decisa e irremovibile ma, al contrario, si è registrata, da sempre, una linea ambigua e contraddittoria. Alle debolezze istituzionali e ai ritardi culturali si è aggiunto un vero e proprio sistema di collusioni e mediazioni sociali ed economiche, fino a determinare un livello di organicità degli interessi mafiosi alle dinamiche della società determinando il relativo degrado della politica e delle istituzioni. Si è reso così sempre più labile, in intere aree della Calabria, il confine tra lo Stato e gli interessi della 'ndrangheta.

Con questa forza la 'ndrangheta ha sempre cercato, quando ne ha avuto l'opportunità, di valicare l'area del proprio insediamento. Il suo essere «locale» – non a caso auto-definizione della sua struttura organizzata centrale – non è mai stato considerato una gabbia o una limitazione al proprio agire mafioso, ha invece rappresentato una pedana di lancio verso altri territori – geografici, economici e sociali – nei quali stabilire relazioni e in cui sviluppare nuove attività criminali.

4. Tra passato e futuro

Nel fiume di parole che hanno inondato la Germania e l'Italia immediatamente dopo la strage di Duisburg colpisce in particolare il fatto che la scoperta della 'ndrangheta sia legata a una descrizione della stessa come un'organizzazione chiusa, arretrata, avvolta in una faida sanguinaria e feroce. Tutto ciò sembra stridere con l'epoca in cui viviamo, caratterizzata da processi di globalizzazione di tutte le attività produttive e umane e da una straordinaria capacità di trasmettere informazioni su scala planetaria.

La grande contraddizione, dunque, sarebbe tra una società oramai globalizzata in tutti i suoi aspetti e una 'ndrangheta arretrata e arcaica.

In effetti questa mafia agisce e pensa al contempo localmente e globalmente, controlla il territorio, segue e interviene nell'evoluzione dei mercati internazionali. Per questo oggi è la più robusta e radicata organizzazione, diffusa nell'intera Calabria e ramificata in tutte le regioni del Centro-nord, in Europa e in altri Paesi stranieri cruciali per le rotte del narcotraffico.

Con questo dinamismo ha articolato e diversificato le sue attività. Abbandonati i sequestri di persona e continuando a controllare l'intero ciclo dell'edilizia, ha investito nella Sanità, nel turismo, nel traffico dei rifiuti, nella grande distribuzione commerciale, assumendo anche un ruolo chiave nel controllo dei grandi flussi di denaro pubblico. Ha conquistato ruolo imprenditoriale e soggettività politica. Una nuova dimensione modellata sulle pieghe della società calabrese, dal Tirreno allo Ionio, dal Pollino allo Stretto.

Niente di vecchio e di arcaico, quindi. Ma un soggetto criminale moderno con una borghesia mafiosa lontana apparentemente da tradizionali logiche militari, come dalla gestione delle più imbarazzanti attività criminali (traffico di droga, armi, esseri umani; tutti settori affidati ormai a gruppi collaterali), inserita progressivamente nei salotti buoni della società; in questo modo si fanno gli affari, si costituiscono le società miste, si appaltano i servizi pubblici, si scelgono i consulenti di chi governa, per determinare le grandi scelte del territorio. L'inserimento negli organismi elettivi sarebbe già di per sé pericoloso e inquinante, ma esso è a sua volta foriero di ulteriori infiltrazioni: la pratica delle assunzioni clientelari, degli affidamenti di lavori, di forniture e servizi a imprese collegate, consente di allargare sempre di più l'area dell'inquinamento mafioso, sino a stravolgere il mercato del lavoro al pari di quello degli appalti.

La 'ndrangheta diventa così oltre che soggetto imprenditoriale anche soggetto sociale, contribuendo a dare risposte drogate ai bisogni insoddisfatti dai limiti e dall'assenza di politiche pubbliche.

1. Una mafia invisibile

«La 'ndrangheta è invisibile come l'altra faccia della luna», così il procuratore dello Stato della Florida a Tampa, Julie Tingwall, descrive negli anni Ottanta le cosche calabresi operanti in America. Una definizione assai appropriata se si considera che l'abilità di mimetizzarsi, di muoversi nell'ombra, nel sottobosco dell'illegalità e nelle pieghe della legalità, costituisce una delle caratteristiche più evidenti della 'ndrangheta, sia in Calabria che nelle sue proiezioni nazionali e internazionali.

Fino a tre decenni fa, nonostante gestisse efficacemente il traffico di droga e delle armi sul territorio nazionale, non aveva assunto appieno una dimensione strutturalmente transnazionale.

Negli ultimi due decenni le cose sono cambiate e la 'ndrangheta, partendo dalla Calabria ha affermato la sua presenza negli Stati Uniti, in Sud America e nel Canada, in Europa e in Australia, creando una rete operativa efficiente come poche per compartimentazione e segretezza e riproducendo ovunque le strutture organizzative presenti storicamente nella regione di origine. Sono decine le cosche e centinaia gli affiliati insediati e operanti all'estero.

La 'ndrangheta in questa affermazione sul piano internazionale, si è posta nei confronti delle organizzazioni criminali degli altri Paesi in termini di assoluta affidabilità, soprattutto nel campo del narcotraffico, come agli occhi dei cartelli colombiani ai quali è stata capace di offrire maggiori garanzie rispetto alle altre mafie. In particolare è apparsa più affidabile di Cosa nostra e della camorra, colpite dalla repressione e incrinate nella loro credibilità dal fenomeno dei collaboratori di giustizia.

Benché le rigide regole di compartimentazione territoriale operanti all'interno delle rispettive aree di influenza nelle cinque province calabresi portino le singole cosche a operare in maniera sostanzialmente autonoma, è netta la loro tendenza a strutturarsi in holding criminali per la gestione dei traffici internazionali di droga o per l'infiltrazione negli appalti pubblici riguardanti territori che ricadono sotto l'influenza di più gruppi mafiosi.

Il livello di pervasività è elevatissimo con punte estreme nella provincia di Reggio Calabria dove esso assume una capillarità tale da condizionare ogni aspetto della vita sociale ed economica.

Le cosche operanti nell'intera provincia evidenziano differenti caratteristiche e modalità di espressione a seconda della zona di radicamento.

Le cosche dell'area tirrenica, così come buona parte di quelle presenti nel capoluogo, praticano l'occupazione del territorio come principale fattore di accumulazione economica realizzando sia il sistematico condizionamento di tutti i settori produttivi sia lo sfruttamento delle risorse destinate alla realizzazione di importanti opere pubbliche.

Le cosche dell'area ionica, attive su un territorio che offre minori opportunità economiche, caratterizzato da una morfologia impervia e aspra (dalla costa fino alle vette dell'Aspromonte) e per questo difficilmente permeabile a un'efficace controllo da parte delle forze di polizia, si sono dedicate per anni ai sequestri di persona. I profitti di questa attività hanno poi costituito la base per l'ingresso in grande stile nel traffico internazionale degli stupefacenti.

Per comprendere il livello di pervasività della 'ndrangheta, è utile rappresentare una mappa aggiornata delle cosche e della loro dislocazione sul territorio.

2. Provincia di Reggio Calabria

2.1 *Il capoluogo*

Le dinamiche criminali e i relativi equilibri in atto vedono il territorio del capoluogo ripartito in tre zone: la zona nord della città, in direzione Gallico, controllata dai sodalizi Condello-Saraceno-Imerti-Fontana, Rosmini e Serraino (quest'ultimo federato con le famiglie Imerti e Condello, estende la propria influenza nei Comuni di Cardeto, Gambarie, Santo Stefano in Aspromonte e San Sperato); il centro cittadino, controllato dalla consorteria De Stefano-Tegano-Libri; e la zona sud dalle cosche Latella-Ficara e Labate, questi ultimi concentrati nel quartiere Gebbione. A Sambatello, Comune a nord di Reggio Calabria, è attiva la cosca Araniti, con a capo il boss Santo, detenuto in regime speciale, legata ai De Stefano.

Secondo il Ros dei Carabinieri sarebbe «confermata la fase di ridefinizione di rapporti e alleanze tra le famiglie De Stefano, Tegano, Condello e Serraino, come emerso dalla frattura all'interno dello storico cartello De Stefano-Tegano che, voluta dagli esponenti della stessa famiglia De Stefano, avrebbe determinato un avvicinamento dei Tegano – il cui esponente di vertice è il latitante Giovanni Tegano – ai Condello, avversari storici del cartello destefaniano. In tale ambito, le acquisizioni investigative attestano l'assoluto rilievo del boss Pasquale Condello, (arrestato il 18 febbraio 2008), al quale pare essere stata devoluta la direzione delle attività illecite di maggiore rilievo nell'intero capoluogo (…)»[1]

Una possibile conseguenza di tale riassetto degli equilibri potrebbe essere l'avvio di un sistema di coordinamento più strutturato e meglio in grado di affrontare con efficacia gli affari di maggiori proporzioni, anche e soprattutto nel settore dei lavori pubblici, nel quale, al momento, è confermata la forte incidenza della famiglia Libri, capeggiata da Pasquale Libri.[2]

L'operazione «Ronin» – nel cui ambito il Gip del Tribunale di Reggio Calabria ha emesso, nel marzo 2006, un'ordinanza di custodia cautelare in carcere nei confron-

---

1. Ros dei Carabinieri, «Relazione sulla Criminalità mafiosa in Calabria», giugno 2007, pag. 9.
2. Nato a Reggio Calabria il 26 gennaio 1939, fratello di Domenico, storico capo del sodalizio, deceduto il 25 maggio 2006 per cause naturali nel carcere di Napoli-Secondigliano.

ti di 13 indagati per associazione mafiosa, estorsione, corruzione e frode nelle pubbliche forniture – ha documentato il controllo mafioso di appalti e servizi pubblici, anche attraverso la corruzione di amministratori locali, tutti legati allo smaltimento dei rifiuti solidi urbani e alla gestione delle relative discariche. Più in particolare, ha evidenziato un accordo imprenditoriale relativo alla gestione di quei servizi raggiunto tra Domenico Libri, anche per conto della cosca Tegano, e l'organizzazione di Pasquale Condello. La stessa operazione ha messo a nudo la capillare rete delle estorsioni gestita da quest'ultima cosca, come è emerso anche nel corso dell'audizione dei magistrati della Dda, nell'ambito della missione della Commissione Antimafia a Reggio Calabria del luglio 2007, secondo i quali si mantiene costante la pressione delle cosche del capoluogo su amministratori locali, imprenditori e lavoratori autonomi, esercitata come di consueto attraverso minacce, danneggiamenti e attentati incendiari.

Anche in occasione delle elezioni amministrative del 2007, la pressione mafiosa si è fatta avvertire attraverso intimidazioni a danno di candidati di diversi schieramenti.

La situazione dei latitanti originari di questa area è decisamente preoccupante, come evidenzia lo Sco della Polizia: «Tra i ricercati di elevato spessore criminale sono ancora liberi Domenico Condello (cl. 1956), Giuseppe De Stefano (cl. 1969), Giovanni Tegano (cl. 1939), tutti inseriti nel Programma Speciale di Ricerca dei 30 latitanti di maggiore pericolosità».[3]

---

3. Sco della Polizia di Stato, «Relazione sulla 'Ndrangheta», 30 giugno 2007.

2.2 L'area ionica

Sul versante ionico della provincia reggina operano numerose organizzazioni distribuite in modo capillare sul territorio, talvolta alleate tra loro per ragioni di parentela o di affari, con attività anche a livello nazionale e internazionale. Elemento di equilibrio tra le diverse famiglie è la figura «carismatica» di Giuseppe Morabito, detto «U Tiradrittu», arrestato nel 2004,[4] uno dei boss più autorevoli della 'ndrangheta, capo incontrastato non solo del «locale» di Africo ma di una sorta di federazione di «locali», con un ruolo interno di assoluto prestigio e rilievo.

Il principale campo di attività nel quale operano le cosche di quest'area è senza dubbio il traffico di stupefacenti, al quale si sono convertite dopo la stagione dei sequestri di persona, favorite anche dall'insediamento stabile di loro esponenti nel Centro-nord dell'Italia o all'estero, dal Nord Europa al Sud America, dall'Australia al Canada.

Fino ai primi anni Novanta, le 'ndrine avevano sperimentato le loro professionalità criminali nella gestione dei sequestri di persona, sviluppando modalità operative analoghe a quelle di una vera e propria industria, sia per i profitti realizzati che per le eccezionali capacità di programmazione e di divisione del lavoro, soprattutto quando i sequestri erano attuati al Nord e le vittime venivano trasferite al Sud e gestite da una rete logistica operante sull'intero territorio nazionale.

---

4. *Ibidem.*

Si creò in quegli anni un vero e proprio sistema legato alla gestione materiale dei sequestri, con l'impiego diretto di latitanti, ma anche di giovani affiliati incensurati, per la custodia degli ostaggi.

Benché non mancassero i contrasti e le opposizioni da parte di alcuni degli esponenti più prestigiosi della 'ndrangheta storica – che non condividevano la scelta di tenere in ostaggio donne e bambini per via del disonore e del danno di immagine che ne poteva trarre la 'ndrangheta – i sequestri proseguirono per lungo tempo, anche in ragione dell'assenza di un'autorità centrale in grado di imporre un divieto e di farlo rispettare.

Con i proventi dei sequestri le cosche della Ionica reggina accumularono notevoli capitali impiegati per il finanziamento di altre attività legali e illegali. Parte di tali profitti venne investita nell'edilizia: furono comprati camion, autocarri e pale meccaniche e furono create ditte mafiose inseritesi poi nella gestione dell'intero ciclo dell'edilizia e degli appalti pubblici. A Bovalino è sorto un quartiere chiamato dagli abitanti «Paul Getty», dal nome del giovane sequestrato a Roma il 10 luglio 1973 e rilasciato il 15 dicembre dello stesso anno, dopo il pagamento di un riscatto di 1 miliardo e 700 milioni, una cifra enorme per l'epoca.

Ma la parte più consistente di quel denaro fu investita dapprima nel contrabbando delle sigarette estere e successivamente nel ciclo della droga, grazie al quale la 'ndrangheta rompeva la sua condizione di minorità per inserirsi nel più grande business mafioso.

Nell'area le indagini confermano il ruolo centrale delle famiglie di Africo, San Luca, Platì, Siderno e Gioiosa Ionica ma, evidenzia il Ros dei Carabinieri, «(...) permangono le tensioni dovute alle contrapposizioni tra i gruppi Cordì e Cataldo, a Locri, e tra i Commisso e i Costa, a Siderno. A Locri, in particolare, dopo gli omicidi del 2005 – segno del riacutizzarsi della tensione tra le citate famiglie – si registra un'apparente fase di stasi, conseguente anche all'incisiva risposta investigativa seguita all'omicidio del vicepresidente del Consiglio regionale Francesco Fortugno.

Sempre sul versante dei tentativi delle organizzazioni mafiose di condizionare le istituzioni, non vanno dimenticati gli atti intimidatori nei confronti di alcuni magistrati della locale Procura. In particolare: il 21.02.2006, è stata intercettata una missiva indirizzata alla dott.ssa Maria Teresa Gerace, magistrato presso il Tribunale civile di Locri, contenente frasi minatorie e una cartuccia cal. 9×21; il 23.03.2006, presso gli uffici della Sezione distaccata del Tribunale di Siderno, è stata invece intercettata una missiva intimidatoria contenente due cartucce cal. 9×21, indirizzata a un altro magistrato.»[5]

«Nella zona di Africo sono attive le cosche Morabito-Bruzzaniti-Palamara. In particolare, nel Comune di Africo Nuovo, la cosca Morabito-Scriva, intesi "scassaporte", collegata all'omonima e più nota cosca Morabito-Palamara.»[6]

«È utile ricordare come l'operazione "Armonia" (del 2003) abbia svelato l'esistenza di un'associazione mafio-

---

5. Ros dei Carabinieri, «Relazione sulla Criminalità mafiosa in Calabria», giugno 2007, pagg. 12-13.
6. Sco della Polizia di Stato, «Relazione sulla 'Ndrangheta», 30 giugno 2007.

sa denominata "crimine", strutturata in forma di "cartello" criminale nel mandamento ionico e comprendente tutti i "locali" della zona ionica reggina, al cui vertice era Morabito Giuseppe, unitamente a Giuseppe Pansera, Filiberto Maesano, Antonio Pelle, Giuseppe Pelle e altri.»[7]

Da tempo, gruppi criminali originari di Africo e riconducibili alla cosca Morabito si sono insediati in forma stabile a Milano, in particolare nella zona sud-est, fra l'Ortomercato e il centro della città, dove hanno acquisito attività economiche e finanziarie.

Il 3 maggio 2007, nell'ambito dell'operazione «King», la Squadra Mobile di Milano ha arrestato 20 soggetti, tra i quali alcuni elementi di spicco della 'ndrangheta, appartenenti alla cosca Morabito-Palamara-Bruzzaniti. Erano in collegamento con trafficanti sudamericani, impegnati in attività di narcotraffico, estorsioni e riciclaggio. Indagini condotte parallelamente hanno coinvolto anche un cittadino italo-argentino residente in Svizzera, che ha rivestito un ruolo strategico nel traffico internazionale della cocaina proveniente dal Brasile, dall'Argentina e dalla Spagna, destinata alla Lombardia e alla Calabria.

Anche nelle zone di Cornaredo e Bareggio, sempre nel milanese, risultano presenti affiliati alle cosche Morabito e Barbaro di Platì, uniti tra loro anche da legami di parentela e vincoli matrimoniali.

«A Siderno è confermata l'egemonia della famiglia

---

7. *Ibidem.*

Commisso, nonostante si siano registrati diversi episodi indicativi dell'instabilità degli equilibri criminali, in buona parte riconducibili alla storica faida tra gli stessi Commisso e la famiglia Costa.»[8]

Su quella faida ha fatto in gran parte luce la Dda di Reggio Calabria con l'operazione «Siderno Group» che, condotta tra l'Italia, il Canada, gli Usa e l'Australia, ha messo a nudo le attività criminali e i traffici di stupefacenti gestiti da famiglie mafiose dell'area ionica reggina, in stretto collegamento con loro esponenti emigrati da anni in quei Paesi. In questo contesto, il 28 giugno 2005, la Polizia italiana ha consentito l'arresto, a Toronto (Canada), del boss latitante Antonio Commisso, detto «l'avvocato», capo indiscusso del clan accusato di aver gestito il traffico di droga in Canada, Stati Uniti e Australia e ritenuto la proiezione economica della sua famiglia in terra nordamericana.

«Nell'area di Melito Porto Salvo, è attiva la cosca Iamonte che, a seguito della cattura dei latitanti Giuseppe Iamonte (cl. '49) e Vincenzo (cl. '54), tratti in arresto nel 2005, è attualmente capeggiata da Remigio Iamonte.» La cosca ha dimostrato «un'elevata capacità di infiltrazione nella Pubblica amministrazione, come confermato dall'insediamento nel Comune di Melito Porto Salvo della Commissione d'accesso nominata dal prefetto di Reggio Calabria il 25.02.2006.»

Allo stesso tempo la cosca Iamonte è particolarmente

---

8. Ros dei Carabinieri, «Relazione sulla Criminalità mafiosa in Calabria», giugno 2007, pag. 13.

attiva nel settore edilizio, sia pubblico che privato, attraverso il controllo di imprese locali.[9]

Altre attività investigative «...hanno consentito di svelare i forti interessi della cosca nel settore della macellazione e commercializzazione delle carni, attraverso una consistente pressione estorsiva e ricattatoria nei confronti di addetti ai lavori e commercianti locali.»[10]

I Iamonte hanno proiezioni anche nella Valle d'Aosta e in Toscana. Nella prima regione risultano presenti soggetti collegati con tale famiglia, probabilmente attratti dalle opportunità economiche connesse con l'industria turistica della zona e dalla favorevole posizione della regione, al confine con Francia e Svizzera, fattori che potrebbero favorire l'attività di riciclaggio dei proventi illeciti. In Toscana, invece, soprattutto nella provincia di Lucca, sono presenti alcuni elementi che fungono da riferimento anche per organizzazioni di origine campana e siciliana impegnate nel traffico della droga.

«Nei Comuni di Roghudi e Roccaforte del Greco potrebbe incidere sugli equilibri criminali locali la scarcerazione di Francesco Maesano e la cattura di Fortunato Maesano,[11] capo dell'omonima cosca, avvenuta il 26.10.2006 in Svizzera; quest'ultimo era ricercato dal giugno 2002 per associazione di tipo mafioso, omicidio aggravato, reati in materia di armi e altro.

---

9. *Ibidem*, pag. 14.
10. Sco della Polizia di Stato, «Relazione sulla 'Ndrangheta», 30 giugno 2007.
11. Nato a Roghudi (RC) il 12.10.1953.

«Nel comprensorio di S. Lorenzo, Bagaladi e Condofuri si conferma il controllo criminale della famiglia Paviglianiti, il cui capo indiscusso, Domenico (cl. '61), è detenuto. I
Paviglianiti, che vantano forti legami con le famiglie Flachi,
Trovato, Sergi e Papalia, tutte caratterizzate da significative
proiezioni lombarde, hanno inoltre qualificate cointeressenze con le cosche reggine dei Latella e dei Tegano, nonché
con i Trimboli di Platì e gli Iamonte di Melito Porto Salvo.

«Nella parte del territorio che va dal Comune di Bova
a Palizzi risultano attive le consorterie dei Talia e dei Va-
dalà-Scriva, entrambe riconducibili al già citato cartello
Morabito-Palamara-Bruzzaniti.

«Nel territorio che congiunge il Comune di Staiti a
quello di Casignana, operano le famiglie Scriva, Mollica,
Palamara e Morabito, tutte legate da vincoli di parentela
ed egemonizzate dai Morabito; queste risultano attive anche nel Lazio, ove sono presenti, ormai da tempo, delle
qualificate 'ndrine.»[12]

Secondo un'analisi del Servizio Centrale Operativo,
le famiglie attive nel Lazio sono già collegate a personaggi di spicco della malavita romana e hanno esteso
progressivamente la propria influenza, soprattutto nel
traffico di stupefacenti, ma anche nell'attività edile e negli appalti in tutto il litorale da Nettuno a Civitavecchia.
Queste cosche operano anche nel campo dell'usura e
delle estorsioni e vengono ragionevolmente ipotizzati

---

12. Ros dei Carabinieri, «Relazione sulla Criminalità mafiosa in Calabria», giugno 2007, pagg. 14-15.

grossi investimenti di capitali in attività commerciali nella città di Roma.[13]

«Nell'area territoriale che riunisce i Comuni di San Luca, Samo, Bovalino, Benestare e Bianco sono stanziate le famiglie storiche e più autorevoli della 'ndrangheta: i Nirta, gli Strangio, i Pelle, i Vottari, i Romeo, i Giorgi e i Mammoliti che, dopo una momentanea crisi a cavallo degli anni Novanta, hanno ripreso le proiezioni operative sul territorio nazionale e internazionale.»[14]

Nella provincia di Milano è stata rilevata la presenza di esponenti della famiglia Strangio, in contatto con narcotrafficanti sudamericani. In riferimento ai profili internazionali di tali cosche, nel luglio 2006, il Goa della GdF di Catanzaro ha concluso un'operazione, coordinata dalla Dda di Reggio Calabria, che ha consentito di individuare una cellula della 'ndrangheta attiva fra l'Olanda, il Belgio e la Germania, e di interrompere la latitanza di sei esponenti di spicco della mala calabrese: Calogero Antonio Costadura, Bruno Pizzata, Francesco Strangio, Giancarlo Polifroni, Antonio Ascone e Gioacchino Bonarrigo.

Antonio Costadura, arrestato a Genk (Belgio), e figlio naturale di Salvatore Nirta, esponente di vertice dell'omonima cosca e latitante dal 2002, era ricercato per traffico internazionale di sostanze stupefacenti; Bruno Pizzata, affiliato alla stessa cosca Nirta, è stato tratto in arresto a Lamezia

---

13. Sco della Polizia di Stato, «La 'Ndrangheta», gennaio 2008, pag. 30.
14. Ros dei Carabinieri, «Relazione sulla Criminalità mafiosa in Calabria», giugno 2007, pag. 15.

Terme (CZ) mentre era a bordo di un autobus proveniente da Monaco di Baviera (Germania); Francesco Strangio, arrestato mentre era in viaggio da Amsterdam a Rotterdam (Olanda), è il personaggio di maggiore spessore criminale tra gli arrestati. Latitante dal 1993, era ricercato per traffico internazionale di stupefacenti, svolto per conto delle cosche Giorgi e Romeo. Dai luoghi degli arresti dei latitanti si evince il livello e la dimensione dei traffici internazionali.

«Nel Comune di Platì è confermata la presenza dei gruppi criminali riconducibili alle famiglie Barbaro, Trimboli, Sergi, Perre, Agresta, Romeo, Papalia e Marando, tutte legate da vincoli di parentela e cointeressenze nella gestione degli affari illeciti. Le famiglie sono concentrate attorno alla cosca Barbaro, soprannominata "castànu", e operano in prevalenza nel narcotraffico, anche fuori dall'area di origine, avvalendosi nei diversi luoghi della collaborazione di cellule criminali satellite.»[15]

«I Sergi-Marando, in particolare, vantano una consolidata alleanza con le famiglie Maesano-Paviglianiti-Pangallo, egemoni a Roccaforte del Greco, S. Lorenzo, Roghudi e Condofuri, contrapposte per anni alla cosca Zavettieri in una sanguinosa faida che nel corso degli anni Novanta ha mietuto decine di morti in entrambi gli schieramenti.»[16]

«In ambito locale, inoltre, anche in virtù di ricorrenti rapporti di parentela, riescono a condizionare efficace-

---

15. *Ibidem*, pagg. 15-16.
16. Sco della Polizia di Stato, «Relazione sulla 'Ndrangheta», 30 giugno 2007.

mente l'azione amministrativa degli enti pubblici, come peraltro documentato nel corso dell'indagine "Marine" (...) che aveva portato all'arresto di amministratori e funzionari dello stesso Comune di Platì.»[17]

In alcuni comuni dell'hinterland milanese (Trezzano sul Naviglio, Corsico, Cesano Boscone e Buccinasco) hanno fissato da anni la loro dimora numerosi esponenti delle famiglie di Platì i quali hanno praticamente colonizzato l'area, riproducendo nei loro nuovi quartieri modelli sociali tipici delle zone di provenienza. Del resto, buona parte dei sequestri di persona a scopo di estorsione verificatisi in Lombardia sono stati attuati proprio da esponenti di tali gruppi che provvedevano poi a trasferire gli ostaggi in Aspromonte. Da anni in questi comuni agiscono le famiglie Papalia e Barbaro, che gestiscono il traffico della droga, con una propensione all'infiltrazione e al condizionamento degli appalti pubblici.

Con l'operazione «Zappa», conclusa in due diverse fasi, nel 2004 e nel 2005, sono stati colpiti numerosi appartenenti ai Maesano-Paviglianiti-Pangallo e ai Sergi-Marando, ritenuti responsabili, a vario titolo, di traffico di stupefacenti. L'indagine, partita da Reggio Calabria e provincia, si è estesa e ampliata ad altre regioni d'Italia (Lombardia, Piemonte, Lazio, Liguria, Sardegna, Toscana) e

---

17. Il 07.07.2006, con decreto del presidente della Repubblica, è stato nuovamente disposto lo scioglimento del Consiglio Comunale e l'insediamento del commissario straordinario, a conferma della pervasiva capacità di penetrazione dei citati gruppi criminali.

successivamente è approdata in Paesi esteri del bacino del Mediterraneo (Francia, Spagna e Marocco) e del Sud America (Colombia, Cile ed Ecuador). Personaggi chiave dell'indagine si sono rivelati, in una fase iniziale, boss del calibro di Santo Maesano e Paolo Sergi, e con loro i narcotrafficanti Roberto Pannunzi (cl. '48) e suo figlio, Alessandro (cl. '72), unanimemente considerati fra i più accreditati narcotrafficanti italiani, entrambi arrestati a Madrid il 4 aprile 2004.

Altrettanto note le proiezioni delle famiglie di Platì in Australia, soprattutto nella città di Griffith. La loro presenza in quella parte del mondo risale ai primi anni Cinquanta, quando l'alluvione che colpì Platì nel 1951 spinse molti dei suoi abitanti a cercare fortuna oltre oceano, concentrandosi in particolar modo in quella cittadina dove, nel corso degli anni, vennero raggiunti da altri conterranei.

Il 15 luglio 1977, a Griffith, venne ucciso a colpi di lupara il deputato liberale Donald MacKay, mentre dodici anni dopo, il 12 gennaio 1989, a Canberra, con due colpi di pistola alla nuca morì Colin Winchester, vicecapo della polizia federale.

Una stessa pista investigativa accomunò i due omicidi, individuando in esponenti delle famiglie originarie di Platì i probabili mandanti ed esecutori. Nel corso delle indagini gli investigatori australiani scoprirono che numerosi terreni erano stati acquistati con denaro inviato dal piccolo paese della Calabria, parte del quale proveniente dai sequestri di persona effettuati in Lombardia e per i quali erano risultati implicati esponenti delle famiglie Perre, Sergi, Papalia e Barbaro.

Gli investigatori australiani scoprirono anche che quei terreni, prima incolti, erano stati accuratamente curati e destinati alla coltivazione di canapa indiana: ne furono individuate ben 188 grosse coltivazioni.

Nel Comune di Careri, geograficamente collocato a valle di Platì, sono attive le tre famiglie Cua, Ietto e Pipicella.[18]

Un insediamento della 'ndrangheta, emanazione delle famiglie di Careri, attive nel traffico di droga, è stato di recente individuato nell'area nord-ovest di Milano, nei Comuni di Inveruno, Cuggiono e Castano Primo. I soggetti interessati gestiscono diverse attività commerciali, verosimilmente avviate con i proventi del narcotraffico. Ma anche sul proprio territorio gli affari spingono all'accordo.

Il cospicuo investimento per la realizzazione della nuova arteria stradale Bovalino-Bagnara, per una spesa di circa 835 milioni di euro, sta già stimolando gli appetiti delle cosche locali, certamente alla ricerca di una partecipazione ai lavori.[19]

«A Canolo e Sant'Ilario dello Ionio è operativa la cosca D'Agostino, collegata a quella Cordì. Su questo versante, a Siderno, dove sono radicati i Commisso, il 14 gennaio 2006 è stato arrestato il latitante Domenico D'Agostino, ricercato dal 2000, destinatario di un'ordi-

---

18. Ros dei Carabinieri, «Relazione sulla Criminalità mafiosa in Calabria», giugno 2007, pag. 16.
19. *Ibidem*.

nanza di custodia cautelare per associazione di tipo mafioso e traffico di sostanze stupefacenti.»[20]

«Nell'area di Gioiosa Ionica e Marina di Gioiosa operano le famiglie Mazzaferro, Jerinò, Coluccio-Aquino e Ursino-Macrì, particolarmente attive nel traffico di stupefacenti, settore in cui vantano collegamenti con tutte le consorterie 'ndranghetiste reggine e con esponenti di altre organizzazioni criminali, in un'ottica di cartello internazionale.»[21]

Gli Ursino, parte integrante della cosca Ursino-Macrì, sono insediati a Torino e in tutta la prima cintura sita a nord e a sud del capoluogo.

Un'operazione del marzo 2006, ha portato all'esecuzione di arresti disposti dal Gip del Tribunale di Napoli nei confronti di 22 persone e ha documentato i rapporti tra la cosca Ursino-Macrì e Carmine Aquino, esponente di spicco del clan Aquino-Annunziata di Boscoreale (NA). L'affare comune riguardava l'importazione di cocaina dall'Olanda e dalla Germania.

Del resto, è ormai noto che la Germania – così come l'Olanda e il Belgio – rappresenta per la 'ndrangheta area di reinvestimento dei capitali illeciti, oltre a essere da sempre prescelta per la mimetizzazione dei latitanti.

Il 27 settembre 2006, a Roma, all'aeroporto di Fiumicino, è stato arrestato Vincenzo Roccisano, di Marina di Gioiosa Ionica (RC), latitante dal luglio del 1991 e ricer-

---

20. Sco della Polizia di Stato, «Relazione sulla 'Ndrangheta», 30 giugno 2007.
21. Ros dei Carabinieri, «Relazione sulla Criminalità mafiosa in Calabria», giugno 2007, pag. 16.

cato per narcotraffico. Elemento di spicco della cosca Ierinò, con proiezioni in Canada e negli Stati Uniti, Roccisano, nel febbraio 1989, era stato già tratto in arresto negli
Stati Uniti dal Fbi, unitamente ad altre 5 persone, per traffico internazionale di stupefacenti.

Già negli anni Novanta, le dichiarazioni rese da Calogero Marcenò, un capo-bastone che viveva a Varese e che
decise di collaborare con la giustizia, avevano svelato l'e-
sistenza di numerosi «locali» della 'ndrangheta in Lombardia, in particolare nella provincia di Como, legati al
clan Mazzaferro. Ulteriori presenze dei Mazzaferro si registrano nella provincia di Varese e anche in Piemonte, fra
Torino e la Val di Susa. Affiliati alla cosca sono presenti
anche nella provincia di Gorizia, dove sono rivolti all'acquisizione di esercizi pubblici e attività commerciali.

In Piemonte, oltre ai Mazzaferro, vi sono affiliati alle
cosche Marando, Agresta e Trimboli, tutte riconducibili
alla famiglia Barbaro di Platì, attivi nell'area del Canavese,
nella quale sono presenti anche uomini dei cartelli Morabito-Palamara-Bruzzaniti di Africo e Ierinò di Gioiosa.

«Nel territorio di Monasterace ai confini con la provincia di Catanzaro, opera invece il clan Ruga-Metastasio.»[22]

2.3 L'area tirrenica

Sul versante tirrenico della provincia di Reggio Calabria le
investigazioni confermano l'egemonia delle potenti co-

---

22. Sco della Polizia di Stato, «Relazione sulla 'Ndrangheta», 30 giugno 2007.

sche Piromalli-Molè e Pesce-Bellocco, che gestiscono tutte le attività illecite nella Piana di Gioia Tauro: dal traffico degli stupefacenti e di armi, alle estorsioni e all'usura, ma anche l'infiltrazione dell'economia locale attraverso il controllo e lo sfruttamento delle attività portuali.

Dopo un periodo di pace mafiosa, l'omicidio di Rocco Molè, di 42 anni,[23] avvenuto a Gioia Tauro nella mattina del 1° febbraio 2008, potrebbe costituire l'innesco di una nuova fase di guerra mafiosa (anche in seno alla stessa cosca Piromalli-Molè), finalizzata a ristabilire gli equilibri nella spartizione degli enormi proventi illeciti derivanti dagli investimenti che si stanno effettuando in quella zona e che nei prossimi anni sono destinati a crescere.

Del resto, come ha già evidenziato la Direzione Investigativa Antimafia, «dall'analisi delle dinamiche interne alle 'ndrine della zona, si rileva che tale calma è solo apparente, permanendo una forte tensione tra le cosche locali secondo logiche di confronto basate su prove di forza e affermazioni di dominio».[24]

«La Piana di Gioia Tauro, dal progetto del V Centro siderurgico fino alla realizzazione del porto, con le ingenti risorse finanziarie statali e comunitarie impiegate per il

---

23. Rocco Molè, considerato il reggente della cosca da sempre alleata con i Piromalli, numerosi precedenti penali alle spalle, sorvegliato speciale della Pubblica sicurezza, condannato in primo e in secondo grado a un ergastolo nel processo Tirreno e in attesa della definitiva sentenza della Corte di Cassazione, era il figlio terzogenito del vecchio boss della mafia Nino Molè, morto nel 2006 per cause naturali nel carcere di Secondigliano.
24. Dia, «La 'Ndrangheta nella Piana di Gioia Tauro», pag. 23.

suo sviluppo economico, costituisce ormai da tempo il più grande affare per le 'ndrine insediate sul territorio.»[25]

Le attività connesse con la gestione del porto e dunque con il colossale movimento dei containers, le opportunità di traffici illeciti a livello internazionale, rese possibili dal frenetico via vai quotidiano delle merci, hanno attratto gli appetiti dei Molè, dei Piromalli, dei Bellocco e dei Pesce e li hanno portati a imporre la loro presenza, offrendo l'opportunità di un salto di qualità internazionale.

«Il dato trova riscontro in numerosi sequestri operati dalla GdF e dal Servizio vigilanza antifrode doganale di tabacchi lavorati esteri, calzature, articoli elettronici e materiale contraffatto di varia natura, pronti per essere smerciati all'interno dei Paesi dell'Unione Europea.

In rapporto al lucroso settore dello smaltimento dei rifiuti (…), il 10 luglio 2006, un'indagine coordinata dalla Procura di Palmi ha portato al sequestro di centinaia di containers contenenti rifiuti vari, in particolare destinati in Cina, India, Russia e Nord Africa, per poi essere lavorati e reimportati come ricambi o merce a prezzo ribassato nel territorio dell'Unione Europea.»[26]

Componenti della famiglia Piromalli sono presenti anche a Roma, dove si ipotizza reinvestano cospicui capitali di provenienza illecita in attività imprenditoriali, e risultano essersi spinti fino alla provincia di Gorizia per acquisire esercizi pubblici e attività commerciali.

---

25. *Ibidem*, pag. 11.
26. Ros dei Carabinieri, «Relazione sulla Criminalità mafiosa in Calabria», giugno 2007, pag. 17.

Anche i Bellocco hanno una forte proiezione internazionale, come emerge dall'arresto di Antonio Ascone e Gioacchino Bonarrigo, loro affiliati, in occasione della stessa indagine condotta nel luglio 2006 dal Goa della GdF di Catanzaro, su di un traffico internazionale di sostanze stupefacenti fra l'Olanda, il Belgio e la Germania. Nel 2006, a Gersthofen, in Germania, è stato invece arrestato il latitante Michele Albanese, detto «Ringo», vicino alla cosca Piromalli-Molè, già condannato in primo grado alla pena di oltre 14 anni di carcere. Contemporaneamente all'arresto in Germania, la GdF ha rinvenuto nell'abitazione dell'Albanese, a Rosarno, un bunker interrato, al quale si accedeva da una botola con un'apertura meccanica.

«Il territorio del comprensorio di Palmi risulta suddiviso fra la cosca Gallico, che controlla l'area nord, e la cosca Parrello, che controlla la zona sud della città ed è legata alla famiglia dei Bruzzise di Seminara. I diversi omicidi che hanno riguardato i Bruzzise nel corso del 2006, proprio in virtù degli accertati rapporti con la cosca Parrello, potrebbero essere collegati alla faida che da anni contrappone questi ultimi alla famiglia Gallico per il controllo del territorio palmese (la cosiddetta "faida di Barritteri", per il predominio della zona di Barritteri, tra Palmi e Seminara, luogo strategico per il controllo dei lavori di ammodernamento dell'Autostrada A3 – N.d.R.).»[27]

---

27. *Ibidem*, pagg. 16-18.

Sul territorio di Palmi esercita la sua influenza anche la famiglia dei Mancuso di Limbadi.

«La famiglia mafiosa dei Crea, capeggiata dal boss Teodoro Crea,[28] esercita l'egemonia nell'area di Rizziconi, con diramazioni anche nel Nord Italia, dove è particolarmente attiva con imprese edili nell'accaparramento di appalti pubblici. Il potere mafioso dei Crea si è rafforzato per i legami con altre famiglie storiche della 'ndrangheta, come i Mammoliti di Castellace e gli Alvaro di Sinopoli,[29] concretizzatosi nel controllo diretto di attività economiche nel settore delle costruzioni, degli autotrasporti e della grande distribuzione.»[30]

Per quanto riguarda gli Alvaro, nella zona di Roma si registra la presenza di personaggi, riconducibili alla loro organizzazione, che si ipotizza reinvestano in attività commerciali ingenti capitali di provenienza illecita.

«A Cinquefrondi opera il clan Petullà, oltre alla cosca Auddino, attiva anche ad Anoia e nei paesi limitrofi. A Delianuova è attiva la cosca Papalia-Italiano, in rapporto di affari con gli Alvaro-Macrì-Violi di Sinopoli.

A Taurianova emerge il predominio della cosca Asciutto-Avignone-Grimaldi, con proiezioni nel Nord Italia e strettamente collegata al clan Piromalli-Molè di Gioia Tauro (RC), di cui Santo Asciutto, attualmente detenuto

---

28. Nato a Gioia Tauro (RC) l'11.04.1939.
29. Francesco Crea, figlio di Teodoro, ha sposato la figlia del boss Nicola Alvaro.
30. Ros dei Carabinieri, «Relazione sulla Criminalità mafiosa in Calabria», giugno 2007, pag. 18.

in regime speciale, sarebbe stato "uomo di fiducia". L'organizzazione di cui è a capo è da anni contrapposta, in una cruenta guerra di mafia, a quella degli Avignone, attiva nello stesso comprensorio calabrese e anch'essa con ramificazioni in ambito nazionale.»[31] Si evidenzia inoltre l'attività della cosca Viola.

A Cittanova sono presenti le cosche degli Albanese e dei Facchineri. Questi ultimi, peraltro, risultano essersi spinti da tempo in Umbria e, con esponenti delle famiglie Asciutto e Grimaldi, anche nella Valle d'Aosta, dove hanno investito nel settore turistico.

Anche la Toscana è interessata dalla presenza di elementi di tale cosca, come dimostra il tentato omicidio del nomade Sebastian Fudorovic, avvenuto il 7 marzo 2006, ad Altopascio (LU), a opera di Giuseppe Lombardo, elemento organico alla famiglia Facchineri.

«A Santa Cristina d'Aspromonte sono attive le famiglie Madafferi e Papalia; a Oppido Mamertina i Mammoliti e gli Stefanelli; a Seminara i Santaiti-Brindisi-Caia-Gioffrè e la cosca contrapposta dei Bruzzise; a Polistena i Longo-Versace.

«Nella Piana di Gioia Tauro, oltre al porto e agli appalti, un settore di interesse delle cosche locali è quello agricolo, per le opportunità di lucro derivanti sia dalla "guardianìa" dei fondi che dalle frodi ai danni dell'AIMA e dell'INPS.»[32]

---

31. Sco della Polizia di Stato, «Relazione sulla 'Ndrangheta», 30 giugno 2007.
32. *Ibidem.*

Infiltrazioni di cosche ioniche sono state infine accertate in Liguria nei Comuni di Ventimiglia e Sarzana.

3. Provincia di Catanzaro

3.1 Lamezia Terme

Le cosche locali si mostrano ben radicate e attive sul territorio, benché subiscano ancora l'influenza di quelle storiche presenti in altre parti della regione. Negli ultimi anni comunque hanno evidenziato grande dinamismo e hanno iniziato a espandersi oltre i confini regionali.

Gravi e numerosi delitti, avvenuti negli ultimi tempi nel territorio della provincia, lasciano ipotizzare situazioni di tensione e di instabilità fra le famiglie mafiose.

Tuttavia, la zona che rappresenta oggi una reale emergenza, sia sotto il profilo della pervasività criminale che per la sicurezza pubblica, è quella di Lamezia Terme dove si è registrato il maggiore incremento di gravi fatti di sangue. Una lunga serie di omicidi ha segnato la contrapposizione tra i sodalizi Iannazzo-Giampà (localizzati rispettivamente a Sambiase e a Nicastro di Lamezia Terme), e Cerra-Torcasio (insediata a Nicastro di Lamezia Terme, zona Capizzaglie) e il conflitto tra i due schieramenti sembra ancora lontano dalla composizione.

Le cosche, operanti nei tradizionali settori dell'illecito, da cui traggono buona parte dei loro profitti (estorsioni, traffico di armi e di sostanze stupefacenti, ingerenza negli appalti, ecc.), hanno anche evidenziato la capacità di infiltrarsi nelle pubbliche amministrazioni, come è dimostrato dallo scioglimento del Consiglio comunale per infiltrazioni mafiose avvenuto il 5 novembre 2002, dopo che analogo provvedimento era stato adottato il 30 settembre 1991. Dagli accertamenti condotti in quell'occasione era emersa l'azione di distorsione e di condizionamento esercitata all'interno degli apparati istituzionali da parte di una criminalità che vi si era insinuata, anche attraverso rapporti di parentela fra componenti dello stesso Consiglio comunale e persone incriminate per associazione mafiosa.

Resta semmai da riflettere sul perché agli scioglimenti non sia seguita una coerente azione giudiziaria e della magistratura per contribuire alla bonifica politica e amministrativa; tanto più che ogni scioglimento dell'ente è stato accompagnato da atti di intimidazione anche sul versante della politica.

Da un'analisi della Direzione Investigativa Antimafia sul lametino, «si rileva che il fenomeno della 'ndrangheta nell'area lametina presenta caratteristiche alquanto diverse rispetto a un contesto criminale provinciale che, sino a tempi relativamente recenti, non vantava grandi tradizioni mafiose.

«Le famiglie operanti nella zona di Lamezia hanno subito, rispetto ad altre realtà provinciali, comprese quelle del capoluogo, un più rapido processo di evoluzione dal modello della banda di tipo "gangsteristico" alla struttura mafiosa organizzata.

«Superata una prima fase, durante la quale hanno affinato le tecniche criminali e consolidato il controllo del territorio, i clan sono poi passati alla gestione, in forme sempre più organizzate, delle tradizionali attività di accumulazione primaria di capitali necessari per l'affermazione del proprio potere mafioso nonché alla creazione delle prime riserve finanziarie.

«A tali delitti (estorsioni, traffico di stupefacenti, guardianìe, dapprima rurali e poi anche industriali), si sono affiancate, in tempi più recenti, una serie di attività apparentemente lecite, necessarie per occultare e dissimulare la provenienza delle rilevanti liquidità illecitamente accumulate.

«È stata proprio tale disponibilità finanziaria ad aver favorito la crescita delle cosche anche come soggetti economici attraverso la gestione di una variegata serie di iniziative imprenditoriali, condotte in prima persona o attraverso l'interposizione di prestanome compiacenti, che hanno introdotto pericolose anomalie nel sistema economico locale.

«L'ingresso delle famiglie mafiose nel mondo imprenditoriale, in un'area caratterizzata da un rapido sviluppo economico legato alla presenza di importanti infrastrutture produttive e viarie, ha fornito alla criminalità nuove opportunità di guadagno, aumentandone il potere e le potenzialità di condizionamento del sistema sociale e politico (...)

«Gli eventi degli ultimi anni (faide e inchieste giudiziarie) hanno contribuito al completamento di un processo di selezione naturale che vede oggi un panorama criminale caratterizzato da pochi, ma ben organizzati, schieramenti nei quali sono confluite alcune delle famiglie un tempo operanti nella zona.

«Gli assetti locali, nonostante gli elevati livelli di conflittualità, si sono in linea di massima stabilizzati intorno a due principali consorterie che si affrontano in una logica di annientamento definitivo al fine di eliminare ogni possibile forma di concorrenza nella gestione dei rilevanti interessi economici presenti in zona.

«Tale situazione è stata favorita da due ordini di motivi: in primo luogo nel territorio comunale di Lamezia è stata più evidente l'influenza delle famiglie reggine e di quella dei Mancuso di Limbadi, che tuttora operano con grande peso nel suo contesto; in secondo luogo, il lametino è stato interessato, con anni di anticipo sul resto della provincia, dagli insediamenti industriali e dalle relative infrastrutture produttive e viarie e, di conseguenza, dai flussi di spesa pubblica finalizzati a favorire i progetti di sviluppo.

«La zona, infatti, ricca e fiorente, con importanti insediamenti industriali e grandi prospettive di sviluppo, grazie alla buona rete di collegamenti aerei, ferroviari e stradali con il resto del Paese, che hanno contribuito alla creazione di un indotto di ragguardevoli proporzioni, offre ottime opportunità per l'investimento e la dissimulazione delle grandi ricchezze accumulate dalle cosche (...)

«La supremazia dei Cerra-Torcasio è stata in passato indiscussa, ma, da qualche tempo, e oggi più che mai, è messa seriamente in pericolo dalla famiglia Iannazzo, alleata con quella dei Giampà, a capo di un'organizzazione potente, anche economicamente, che non nasconde le proprie mire egemoniche sull'intera area.»[33]

Una sorta di ricompattamento del gruppo criminale dei Cerra sarebbe stato favorito dal ritorno sulla scena criminale di Nino Cerra (classe '48), scarcerato dalla casa circondariale di Voghera il 12 agosto 2005. Da quel giorno, infatti, è stata registrata una recrudescenza degli atti intimidatori di matrice estorsiva, soprattutto nell'area di Nicastro.[34]

Gli Iannazzo sono, tuttavia, il gruppo che nel corso de-

---

33. Dia, «Situazione della criminalità organizzata di tipo mafioso in Lamezia Terme (CZ)», marzo 2007, pagg. 10-12.
34. Nel marzo 2007, 12 esponenti della cosca «Cerra-Torcasio» sono stati arrestati, in esecuzione di ordinanza di custodia cautelare in carcere emessa dall'Autorità giudiziaria di Catanzaro, per associazione per delinquere di tipo mafioso, omicidi, tentato omicidio, traffico di armi e droga ed estorsione. Secondo l'accusa, essi avrebbero condizionato il regolare andamento economico nella città attraverso una richiesta generalizzata del «pizzo» agli imprenditori locali, in un'impressionante sequela di delitti avvenuta negli ultimi 18 mesi nei confronti di commercianti, imprenditori e lavoratori autonomi, che ha raggiunto l'apice nell'incendio che, il 24 ottobre 2006, devastò la sede della rivendita di gomme e delle soprastanti abitazioni dell'imprenditore Giuseppe Godino.
Quell'episodio suscitò grande sdegno nella popolazione che fu indotta a reagire, anche attraverso pubbliche manifestazioni e abbassando le saracinesche dei negozi.
Nel febbraio 2007 i Godino ottennero una prima trance dei fondi stanziati dalla Legge n. 44/1999 («Fondo di solidarietà per le vittime del racket»). Alla loro impresa, inoltre, venne affidato direttamente l'appalto per la fornitura e la manutenzione di gomme per i mezzi delle Ferrovie della Calabria.

gli anni ha saputo meglio attrezzarsi verso le forme più redditizie di criminalità economica.[35] Nel territorio che ricade sotto il loro controllo, si trova l'aeroporto di Lamezia Terme, in relazione al quale, però, è necessario dare impulso alle attività investigative visto che, sino a oggi, nonostante la presenza attiva della cosca nell'intera area aeroportuale, non vi è stata alcuna adeguata ed efficace rispondenza investigativa e giudiziaria, anche in rapporto alla mole di affari e di traffici che attorno a quest'area si sviluppano.[36]

3.2 Catanzaro

Per quanto riguarda la città di Catanzaro, «le attività investigative hanno evidenziato l'avvenuta ricostituzione, a partire dagli anni 1998-1999, della cosca Costanzo-Di Bo-

---

35. Il capo storico della famiglia, Francesco Iannazzo (classe '51), ucciso il 20 maggio 1992, aveva saputo trasformarsi in pochi anni da bracciante agricolo a imprenditore edile. Benché non disponesse di consistenti risorse economiche né di adeguate conoscenze tecniche, grazie al rapporto con il suocero, Salvatore Renda, inserito nella realtà imprenditoriale locale in quanto «custode» dello stabilimento «Icla» di Lamezia Terme, società impegnata in importanti opere infrastrutturali, imparò ad impegnarsi in prima persona nella gestione di imprese, coinvolgendo imprenditori locali che, in cambio della protezione che questi riusciva a garantire e al procacciamento di commesse ottenute sfruttando la propria capacità intimidatoria, accettavano più o meno liberamente rapporti societari con il boss.
36. Audizione Dda di Catanzaro davanti alla Commissione Parlamentare Antimafia, 5 febbraio 2008.

na, detta dei "gaglianesi", che, in forza della legittimazione riconosciutale dalla 'ndrina di Isola di Capo Rizzuto, riconducibile alla famiglia Arena, si è dimostrata estremamente attiva nel "controllo" delle più significative e importanti attività illecite.»[37]

«Si è rilevata, peraltro, la contiguità alla mafia locale di gruppi di nomadi, i cui componenti possono ritenersi sodali della cosca dei "gaglianesi" e la cui presenza sul territorio assicura alle cosche anche un consistente supporto "militare".»[38]

«In particolare, sono state delineate le attività illecite del gruppo 'ndranghetistico di Catanzaro, retto da Anselmo Di Bona, e le sue interazioni con la componente rom del capoluogo, capeggiata da Domenico Bevilacqua e da Cosimino Abbruzzese. Proprio i privilegiati rapporti di quest'ultimo con il Di Bona hanno portato a un contrasto, maturato nell'ambito delle attività estorsive, tra Domenico Bevilacqua e il gruppo dei "gaglianesi", a fianco del quale è intervenuta la cosca Arena.»[39]

3.3 La zona ionica

Per quanto concerne la costa ionica che va da Guardavalle a Botricello, permane l'egemonia dei Gallace-Novella di

---

37. Sco della Polizia di Stato, «Relazione sulla 'Ndrangheta», 30 giugno 2007.
38. *Ibidem.*
39. Ros dei Carabinieri, «Relazione sulla Criminalità mafiosa in Calabria», giugno 2007, pag. 20.

Guardavalle (...), che vanta proiezioni operative nel Lazio, in particolare ad Anzio (RM) e a Nettuno (RM), dove sono state anche operate notevoli confische di beni immobili.

«Nel Comune di Borgia, dopo il decesso per cause naturali di Antonino Giacobbe, capo indiscusso dell'omonima cosca, elemento di vertice nell'area del paese sembrerebbe Giulio Cesare Passafaro, già inserito nella cosca Giacobbe, mentre nella zona marina i referenti criminali rimangono i Pilò-Cossari, che vantano legami con personaggi di spicco della criminalità crotonese e delle Serre.»[40]

«Nel Comune di Soverato emerge la cosca Sia, che controlla i Comuni di Montauro, Montepaone, Gagliato e Petrizzi. I boss Sia sono legati ai Costa di Siderno (RC), ai Vallelunga di Serra San Bruno (VV) e ai Procopio-Lentini di Satriano (CZ).

«I principali gruppi che operano in tale area risultano anche avere collegamenti con narcotrafficanti attivi a Milano, Roma e Torino.»[41]

«Le dinamiche criminali della presila catanzarese (nell'area di Petronà e Sersale, N.d.R.) risentono della storica contrapposizione tra le cosche Bubbo e Carpino, da anni impegnate in una sanguinosa faida per il controllo dell'area di Petronà. Nel quadro delle alleanze contrapposte, i

---

40. *Ibidem*, pagg. 20-21.
41. Sco della Polizia di Stato, «Relazione sulla 'Ndrangheta», 30 giugno 2007.

Carpino sono da tempo vicini agli Arena di Isola di Capo Rizzuto (KR), mentre i Bubbo, legati al defunto Sergio Iazzolino, ucciso in un agguato mafioso il 5 marzo 2004, risultano vicini ai Nicoscia.»[42]

«A Belcastro, Taverna, Albi e Magisano operano i gruppi Pane-Iazzolino e Pisani, strettamente collegati ai Grande Aracri di Cutro (KR). Mentre a Botricello insiste la presenza del gruppo Scumaci, pur colpito, nel maggio 2003, da numerose sentenze di condanna.»[43]

4. Provincia di Cosenza

4.1 Il capoluogo

Il panorama della 'ndrangheta nella provincia di Cosenza è attualmente caratterizzato da un processo di mutamento degli equilibri tra le cosche, benché non si registrino – come sovente avviene in situazioni del genere – episodi di evidente conflittualità.

Nel capoluogo, i principali esponenti dei gruppi criminali attivi, i Rua, i Perna-Pranno, i Bruni e i Cicero, sono attualmente detenuti anche a seguito di due operazioni («Missing» e «Missing 2») che, nel 2006 e nel 2007, hanno attribuito loro (ma anche ad alcuni esponenti delle

---

42. Ros dei Carabinieri, «Relazione sulla Criminalità mafiosa in Calabria», giugno 2007, pag. 21.
43. Sco della Polizia di Stato, «Relazione sulla 'Ndrangheta», 30 giugno 2007.

cosche Muto, Calvano e Serpa, rispettivamente di Cetraro, San Lucido e Paola) la responsabilità di oltre 40 fatti di sangue perpetrati nelle due guerre di mafia avvenute a Cosenza a cavallo tra il 1977 e il 1994.[44]

Questo ha consentito al cosiddetto clan degli «zingari» – così denominato perché composto da soggetti di etnia rom divenuti da tempo stanziali e a pieno titolo inseriti nella 'ndrangheta – di assumere il sopravvento nella gestione del traffico di sostanze stupefacenti, pur evidenziando contestualmente una vocazione per gli assalti ai furgoni portavalori.[45]

Fino alla metà del 2006, è stata registrata una sorta di alleanza tra il gruppo degli «zingari» di Cosenza (i Bevilacqua e gli Abbruzzese) e quello di Cassano allo Ionio, per l'imposizione di estorsioni a commercianti e imprenditori, aumentate dall'inizio di quell'anno.

In definitiva, dunque, la peculiarità e la pericolosa anomalia di Cosenza risiede tutta in questo ruolo di importanza sempre crescente di cosche formate da soggetti di etnia rom.

---

44. La presenza del noto boss reggino Pasquale Condello tra i destinatari dei relativi provvedimenti, ritenuto responsabile del duplice omicidio di Giuseppe Geria e Valente Saffioti, consumato in Scalea, evidenzia i reciproci scambi di favori tra la 'ndrangheta reggina e le cosche attive nel nord della regione.
45. A essi è da attribuire l'eclatante rapina avvenuta il 2 ottobre 2006, sullo svincolo autostradale di Lauria Nord, nel potentino, in pregiudizio di un furgone della ditta «La Ronda», addetta al trasporto e alla consegna di denaro e plichi bancari e postali.

4.2 Area ionica

«Per quanto concerne l'area della sibaritide, a Cassano allo Ionio si fronteggiano l'organizzazione criminale dei Forastefano, al momento egemone, e il gruppo degli "zingari" legati alla cosca Farao-Marincola di Cirò e capeggiato da Francesco Abbruzzese, recentemente scarcerato. Questo evento potrebbe riattualizzare lo scontro armato con i rivali, acutizzatosi nel 2003 con l'esecuzione di numerosi omicidi tra i due schieramenti.

La cosca Forastefano ha rafforzato il proprio prestigio in tutto l'alto Ionio, estendendo il proprio controllo al locale mercato degli stupefacenti, alle estorsioni nei confronti degli imprenditori e commercianti nonché all'usura. Il sodalizio opera anche nelle truffe nel settore agricolo, attraverso alcune società acquisite con proventi illeciti».[46]

«Il gruppo degli "zingari" di Cassano allo Ionio (residenti nella frazione di Lauropoli), è dedito alle estorsioni, allo spaccio di sostanze stupefacenti e agli assalti ai furgoni portavalori, tessendo rapporti di "affari" anche con organizzazioni attive fuori della provincia di Cosenza».[47]

«Di rilievo è anche il legame tra le organizzazioni della sibaritide e le potenti organizzazioni criminali al-

---

46. Ros dei Carabinieri, «Relazione sulla Criminalità mafiosa in Calabria», giugno 2007, pag. 23.
47. Sco della Polizia di Stato, «Relazione sulla 'Ndrangheta», 30 giugno 2007.

banesi, già ampiamente riscontrato nell'ambito dell'operazione "Harem" (...) dalla quale sono emersi reciproci contatti finalizzati all'approvvigionamento di stupefacenti e armi a prezzi competitivi da parte degli "schipetari" che, in cambio, possono gestire lo sfruttamento della prostituzione nella zona con l'appoggio delle locali cosche.»[48]

«Sempre nella sibaritide, si registra l'operatività a Cariati e a Mandatoriccio della cosca Critelli.»[49]

«Nell'area di Castrovillari, le cosche Recchia e Impieri si contendono il controllo del territorio e la gestione delle attività estorsive.»[50]

«A Rossano, opera un cartello criminale composto dai Morfò e dagli Acri-Galluzzi, attualmente guidati da Acri Nicola, anch'egli legato agli "zingari".

«A Corigliano Calabro il clan storicamente prevalente è quello dei Carelli – di cui è capo indiscusso Santo Carelli, detenuto da anni in regime differenziato – usciti vittoriosi dallo scontro sostenuto sul finire del 2000 con i Portoraro di Cassano allo Ionio.»[51]

---

48. Ros dei Carabinieri, «Relazione sulla Criminalità mafiosa in Calabria», giugno 2007, pag. 24.
49. Sco della Polizia di Stato, «Relazione sulla 'Ndrangheta», 30 giugno 2007.
50. Ros dei Carabinieri, «Relazione sulla Criminalità mafiosa in Calabria», giugno 2007, pag. 23.
51. Sco della Polizia di Stato, «Relazione sulla 'Ndrangheta», 30 giugno 2007, pag. 23.

4.3 Area tirrenica

«Sul versante tirrenico della provincia, nella zona compresa tra Cetraro, Praia a Mare e Diamante, opera incontrastata la cosca Muto, storicamente legata alle famiglie del capoluogo, di cui si conoscono i tentativi di infiltrazione nei settori economici e degli appalti.»[52]

La cosca Muto, che fa capo a Francesco Muto, detto «il re del pesce», fin dagli inizi degli anni Ottanta ha mantenuto il controllo pressoché esclusivo della detta zona dell'alto Tirreno cosentino, traendo enormi profitti dalle estorsioni imposte nella commercializzazione del pesce.

Il 6 settembre 2004, l'operazione «Starpice 3-Azimut», ha portato in carcere 70 persone affiliate al clan il cui capo – tornato in libertà nel mese di marzo del 2003, dopo avere scontato una condanna a dieci anni di reclusione per associazione mafiosa – secondo quanto emerso dall'inchiesta avrebbe continuato a gestire gli affari della sua cosca anche durante il lungo periodo di detenzione, in particolare nei settori dell'usura, delle estorsioni e del traffico di droga.

La cosca – approfittando del vuoto di potere determinatosi a causa degli arresti dei boss cosentini che un tempo controllavano le attività illecite in città – avrebbe esteso negli ultimi anni il proprio potere anche nel territorio di Cosenza, inserendosi nelle estorsioni ai danni degli im-

---

52. *Ibidem*, pag. 24.

prenditori edili del capoluogo (che hanno appaltato lavori per milioni di euro approfittando delle possibilità offerte dal nuovo piano regolatore), nel settore dell'usura e gestendo direttamente attività imprenditoriali nel settore delle costruzioni.

«Nella stessa area dell'alto Tirreno cosentino, si registra l'operatività delle seguenti, ulteriori "famiglie": nella zona di San Lucido i Calvano e i Carbone; nel Comune di Fuscaldo i Tindis; ad Amantea i Gentile e i Besaldo; a Paola i Serpa oltre agli Scofano-Martello, che sarebbero costituititi da una frangia dissidente del clan Serpa.»[53]

5. Provincia di Crotone

5.1 *L'invasione dell'economia*

Il crotonese è caratterizzato storicamente da una capillare presenza mafiosa. Le cosche della zona, nonostante i colpi subiti negli ultimi anni, sono ancora fortemente strutturate e capaci di trattare affari illeciti con le più importanti 'ndrine delle altre province calabresi – da quelle reggine a quelle della sibaritide e dell'alto Ionio cosentino – oltre che mantenere ramificazioni operative e imprenditoriali fuori dalla regione e all'estero.

---

53. Sco della Polizia di Stato, «Relazione sulla 'Ndrangheta», 30 giugno 2007.

Si tratta di organizzazioni capaci di un'articolata gamma di attività criminali, dal traffico di stupefacenti al racket delle estorsioni e proiettate sul controllo di attività economiche legali nel settore agricolo e in quello turistico, particolarmente organizzato lungo le coste della provincia. Una particolare e diffusa versione della pratica estorsiva sperimentata in questa provincia consiste nell'imposizione di manodopera da parte mafiosa.

«Le ingerenze nel sistema degli appalti sono appannaggio delle cosche di maggior consistenza criminale che cercano, così, di reinvestire i proventi delle attività illecite penetrando il mondo economico legale, in special modo quello legato alla realizzazione di opere pubbliche.»[54]

L'azione delle cosche crotonesi nei confronti degli operatori economici è asfissiante, quanto la capacità di penetrazione nelle amministrazioni locali, per assicurarsi il controllo delle attività edilizie, dell'urbanistica, delle attività commerciali e imprenditoriali. Si collocano in questo quadro gli attentati e le intimidazioni a rappresentanti delle istituzioni e degli enti locali; come sono da ricondursi verosimilmente ad attività estorsive, di controllo e condizionamento del tessuto produttivo, gli incendi agli stabilimenti Eta-Fuelco di Cutro e Biomasse S.p.A. di Crotone e di Strongoli.

In tale contesto, «lo sviluppo del progetto "Europaradiso", che prevedrebbe la realizzazione in località Paglianiti di Crotone del più grande complesso residenzia-

---

54. *Ibidem*.

le turistico del Mezzogiorno, su di un'area di 1.200 ettari di macchia mediterranea prospiciente al mare, parrebbe aver stimolato l'interesse delle famiglie crotonesi. Al momento è stato apposto il "veto" da parte della Regione Calabria, poiché l'insediamento include la foce del fiume Neto, indicata come oasi naturale e inserita in una zona a protezione speciale con un vincolo di tutela comunitario imposto dall'Unione Europea e recepito anche in ambito nazionale».[55] Si tratterebbe di un colossale affare non solo per quanto riguarda la realizzazione del complesso ma anche per il successivo controllo delle attività a esso collegate.

I contorni dell'intera operazione hanno suscitato l'attenzione degli investigatori, trattandosi di investimenti per 5-7 miliardi di euro. La stessa relazione annuale del dicembre 2006 della Dna evidenzia i rischi e le ambiguità del progetto e della società che dovrebbe realizzarlo, la «Europaradiso International S.p.A.», costituita il 10 novembre 2004, con sede a Crotone, il cui amministratore unico, Appel Gil, è anche amministratore unico della «Europaradiso Italia s.r.l.», costituita lo stesso giorno e con la stessa sede in Crotone. Il suddetto amministratore, considerato un «imprenditore molto aggressivo», dalla relazione della Direzione Nazionale Antimafia, è attualmente imputato per corruzione in Israele.

---

55. Ros dei Carabinieri, «Relazione sulla Criminalità mafiosa in Calabria», giugno 2007, pag. 25.

5.2 Il capoluogo

«Nel capoluogo, la situazione criminale appare stabile, stante il predominio incontrastato della potente cosca dei Vrenna-Ciampà-Bonaventura, con attività nel mondo economico, degli appalti e dei servizi pubblici, anche attraverso la preventiva attività di "imbonimento" svolta a livello locale per il procacciamento di voti in occasione di consultazioni elettorali comunali, come accertato in passato.»[56]

«Le cosche operanti nel capoluogo mantengono legami nella provincia con i Farao-Marincola di Cirò e con i Grande Aracri di Cutro.»[57]

Nella frazione Papanice del capoluogo è attiva la cosca Megna (collegata ai Vrenna-Ciampà), distinta in due fazioni facenti capo l'una a Luca Megna, figlio del boss storico Domenico Megna, detto «Mico», l'altra a Pantaleone Russelli, scarcerato per indulto nell'agosto 2006.[58]

---

56. Da attività investigative è emerso che una ditta facente capo ai Ciampà, poi confiscata, nel 2003 aveva vinto la gara di appalto per il prolungamento della pista dell'aeroporto di Reggio Calabria, evidenziando capacità di relazionarsi con le più influenti cosche reggine.
57. Sco della Polizia di Stato, «Relazione sulla 'Ndrangheta», 30 giugno 2007.
58. Il gruppo facente capo a quest'ultimo, attualmente, è quello più attivo nel settore delle estorsioni. Allo stesso sarebbero ascrivibili gli atti intimidatori perpetrati in danno di esercizi commerciali del capoluogo, anche al fine di acquisire il controllo su tutto il territorio della città a scapito della cosca dei Vrenna, che sembra in lento declino.

5.3 Tra la Sila e il mare

«Il contesto generale del fenomeno criminale mafioso della provincia manifesta periodiche instabilità, specialmente nell'area del Comune di Isola di Capo Rizzuto, ove si sta assistendo, a fronte di un indebolimento degli Arena, al consolidamento dei Nicoscia che, forti dell'alleanza con altre famiglie locali e del sostegno fornito dal clan Grande Aracri di Cutro, operano nei settori degli stupefacenti e delle estorsioni,[59] con una forte proiezione in attività economiche, specie nel settore del turismo, che rappresenta una delle principali fonti di reddito della costa.[60]

L'arresto, il 12 marzo 2006, dei fratelli Corda, Vincenzo e Paolo, latitanti di primo piano della cosca Nicoscia-Corda-Capicchiano, potrebbe aver generato un accordo tra le due cosche rivali, mirante all'instaurazione di un'alleanza o quanto meno di una pax mafiosa fra le due cosche in conflitto.

«Nell'area di Cutro, è egemone la cosca Grande Aracri,

---

59. Sco della Polizia di Stato, «Relazione sulla 'Ndrangheta», 30 giugno 2007.
60. Lo scontro fra gli Arena e i Nicoscia, sin dal 2003 ha fatto registrare gravi eventi delittuosi (omicidi, danneggiamenti con colpi di arma da fuoco e mediante incendi, con finalità estorsive o di intimidazione di pubblici amministratori e di rappresentanti istituzionali), acuitisi a seguito del ritorno in libertà di alcuni esponenti di spicco degli Arena, tra cui Carmine Arena (ucciso nel 2004 con l'utilizzo di un bazooka e di kalashnikov, mentre si trovava a bordo della propria autovettura blindata). Quest'ultimo aveva cercato di ricompattare il sodalizio attraverso l'eliminazione fisica degli avversari, finalizzata alla riconquista del predominio territoriale e al tentativo di indebolire i Grande Aracri, per convincerli, quanto meno, a un rapporto di non belligeranza.

retta da Ernesto Grande Aracri ma facente capo al boss detenuto Nicolino Grande Aracri. La famiglia è una delle più potenti del crotonese e presenta ramificazioni in Lombardia, Veneto ed Emilia Romagna,[61] con proiezioni in Germania. È stata protagonista, nel recente passato, di un violento scontro con la cosca Dragone, anche in ragione delle rispettive alleanze con i Nicoscia e gli Arena di Isola di Capo Rizzuto.

«Ai Grande Aracri sono collegati i Comberiati-Garofalo[62] di Petilia Policastro (fortemente insediati in Lombardia), i Ferrazzo di Mesoraca e singoli esponenti della criminalità organizzata dei Comuni di Roccabernarda e San Mauro Marchesato.»[63]

Affiliati alla cosca Grande Aracri sono presenti in Emi-

---

61. Con l'operazione «Grande Drago», eseguita il 21 ottobre 2005, è emersa tutta la potenzialità criminogena della cosca, ben capace di esportare i suoi modelli operativi anche in realtà avulse da contesti di 'ndrangheta, come la provincia di Reggio Emilia ove suoi affiliati ponevano in essere attività finalizzate principalmente alla raccolta di «fondi» tra gli imprenditori operanti nel settore edile, loro corregionali, i quali, opportunamente sollecitati con *imbasciate*, contribuivano al finanziamento dell'organizzazione criminale, tramite dazioni di denaro contante o sub-appaltando a ditte vicine alla cosca, operanti nello stesso settore, lavori di sbancamento, demolizioni e forniture di materiali inerti nei vari cantieri edili della provincia reggiana.

62. Il sodalizio nel recente passato si sarebbe scisso in una fazione facente capo a Vincenzo Comberiati, capo storico della consorteria, scarcerato dopo lunga detenzione, facendo registrare gli omicidi di Gaetano Covelli (13.8.2003) e di Mario Francesco Garofalo (28.9.2003), inseriti nei Garofalo. In tale contesto sarebbero altresì maturati gli omicidi del pregiudicato Salvatore Esposito (7.5.2005), ritenuto contiguo ai Garofalo-Mingacci e di Floriano Garofalo (8.6.2005), elemento di spicco dell'omonima cosca.

63. Sco della Polizia di Stato, «Relazione sulla 'Ndrangheta», 30 giugno 2007.

lia Romagna, in particolare a Parma, Reggio Emilia e Piacenza, con forti interessi nel settore dell'edilizia e nella gestione di bische clandestine.

I Ferrazzo vengono definiti da una sentenza della Corte d'Assise di Catanzaro depositata il 24.03.2004 quale «sodalizio della 'ndrangheta calabrese, composto da numerosi affiliati, gravitante a Mesoraca, con ingerenze nei lavori pubblici eseguiti nelle zone limitrofe e proiezioni criminali (rapine, traffico di armi e droga) in Lombardia e a Lavena Ponte Tresa, nonché in altri comuni del confine italo-svizzero e nella stessa Svizzera.»[64]

In ordine, alle loro proiezioni estere, il 17 gennaio 2008, il Gip presso il Tribunale di Milano, traendo spunto dagli esiti di diverse indagini condotte a partire dal 2003 in Svizzera e in Italia, ha emesso un'ordinanza di custodia cautelare in carcere a carico di nove persone (tra cui un avvocato milanese esperto in materia finanziaria), le quali, agendo in favore e per conto della suddetta cosca, avrebbero realizzato un'imponente attività di riciclaggio, allestendo in Svizzera, dalla fine degli anni Novanta, un sofisticato meccanismo per ripulire somme di denaro provenienti dalle attività criminali.

«Nella frazione San Leonardo di Cutro, sono presenti il gruppo Mannolo, guidato da Alfonso Mannolo,[65]

---

64. Vedi «ordinanza di custodia cautelare in carcere n. 50287/04 R.G.N.R. e n. 145/05 R.G. Gip, emessa il 17 gennaio 2008 dal Gip presso il Tribunale di Milano, Dr. Guido Salvini», pag. 37.
65. In data 27 luglio 2006, su disposizione della competente A.G., veniva eseguito nei suoi confronti un provvedimento di sequestro e successiva confisca di beni, rientranti nella sua disponibilità anche attraverso prestanome, per un valore complessivo di € 2.220.000 circa.

noto per i forti interessi manifestati in passato nel settore del traffico di sostanze stupefacenti, e quello dei Trapasso, retto da Giovanni Trapasso,[66] collegato agli Arena di Isola.

«A Cirò, continua a essere egemone il clan Farao-Marincola,[67] in contatto con le più importanti cosche calabresi, specie del reggino, e con le frange del crotonese e della sibaritide, come i Forastefano di Cassano allo Ionio. La cosca, collegata anche ai Giglio-Levato di Strongoli, opera prevalentemente nei settori degli stupefacenti, dell'usura, delle estorsioni e del riciclaggio.»[68]

Presenze di esponenti dei Farao-Marincola si registrano anche in Lombardia, in particolare nell'area di

---

66. In data 23.12.2006 è stato eseguito nei suoi confronti un provvedimento di sequestro e successiva confisca di beni rientranti nella sua disponibilità, per un valore di € 3.000.000.

67. In tale quadro, si inserisce l'omicidio di Antonio Fortino (avvenuto il 22.1.2006 a Cirò Marina), pregiudicato per associazione di tipo mafioso e appartenente alla cosca Farao-Marincola, mentre la recentissima scarcerazione (nel dicembre 2006, dopo un lungo periodo di detenzione) del boss storico cirotano Cataldo Marincola, di anni 45, attualmente latitante, rappresenta un'incognita sugli equilibri raggiunti all'interno della consorteria, anche in relazione all'omicidio di un suo uomo di fiducia, Natale Bruno, avvenuto nel 2004. A ciò si aggiunga, quale ulteriore fattore di disequilibrio, che il 25.5.2007 l'Arma dei Carabinieri ha tratto in arresto esponenti della «locale» di Cirò, tra i quali Giuseppe Farao, ritenuto capo dell'omonima cosca, che devono rispondere, a vario titolo, di detenzione e spaccio di sostanze stupefacenti, detenzione illegale di armi ed estorsione.

68. Sco della Polizia di Stato, «Relazione sulla 'Ndrangheta», 30 giugno 2007.

Varese, storicamente caratterizzata dalla presenza di personaggi di origine calabrese, in prevalenza dediti al traffico di stupefacenti e che, a partire dal 2005, hanno preso a manifestare un particolare attivismo. Nelle tensioni prodottesi, è da ascrivere l'omicidio, avvenuto il 27 febbraio 2006, a Ferno (VA), del pregiudicato Alfonso Murano, collegato alla cosca Farao-Marincola.

Esponenti della stessa cosca operano anche in Umbria, attivi nella gestione di esercizi pubblici e nello sfruttamento della prostituzione.

A Petilia Policastro risulta predominante l'organizzazione criminale retta da Vincenzo Comberiati, detto «Tummuluni», attualmente detenuto.

«Ancora, nella Valle del Neto, nei Comuni di Belvedere Spinello e Rocca di Neto, è presente la cosca Iona, capeggiata dal boss detenuto Guirino Iona, interessata alle estorsioni e alle infiltrazioni nei pubblici appalti oltre che inserita in attività imprenditoriali edili.»[69]

In chiusura di paragrafo è utile ricordare alcuni episodi criminosi degli ultimi anni per segnalare il preoccupante livello di pericolosità e di spregiudicatezza raggiunto dalle cosche del crotonese:

- Il 26 febbraio 2000, a Strongoli, nell'ambito di una guerra per determinare nuovi equilibri organizzativi della locale famiglia Giglio, killer ad essa affiliati hanno consumato una strage sul lungomare, uccidendo quattro uomini, tra i quali anche un anziano

---

69. *Ibidem.*

passante, e provocando il ferimento di tre carabinieri intervenuti per tentare di intercettare la loro fuga.

- Il 3 ottobre 2004, alcuni killer tendono un agguato a Carmine Arena, al vertice dell'omonima cosca di Isola di Capo Rizzuto, lo uccidono e feriscono gravemente il cugino, Giuseppe Arena, poi subentrato nell'organigramma della cosca. Poiché i due si trovavano a bordo di un'autovettura blindata, i killer prima hanno infranto i vetri a colpi di bazooka e poi hanno finito le vittime a colpi di kalashnikov.

- Il 6 agosto 2007, in un ristorante di Cirò Marina, viene sfiorata la strage: Giuseppe Pirillo, esponente di primo piano della cosca Farao-Marincola, viene ucciso da killer travisati che, dopo aver fatto irruzione nell'affollatissimo locale, sparando tra i tavoli lo uccidono e feriscono altre sette persone.

6. Provincia di Vibo Valentia

6.1 Il dominio dei Mancuso

Nella provincia di Vibo Valentia appare incontrastato il predominio dei Mancuso di Limbadi, storicamente legati ai Piromalli-Molè di Gioia Tauro. Mentre mantenevano un rigido controllo delle attività criminali locali, si sono ritagliati, negli anni, ampi spazi nel traffico internazionale delle sostanze stupefacenti.

«Le più recenti risultanze investigative hanno evidenziato che la tradizionale struttura della famiglia, sempre riconducibile allo storico nucleo familiare, si è scissa nella sua compattezza, dando vita a 3 principali ramificazioni, a volte in contrasto tra loro ma munite di autonomia organizzativa, rispettivamente capeggiate da Diego Mancuso, Francesco Mancuso e Cosmo Mancuso.

«La potenzialità criminogena della 'ndrina, nel suo complesso, è comunque confermata. Aree di influenza, oltre che nella provincia di Vibo Valentia, sono nel reggino e nel catanzarese, a Isola di Capo Rizzuto (rapporti con gli Arena), a Lamezia Terme (contiguità con il gruppo Cerra-Torcasio-Giampà) e in altre parti del territorio nazionale (in particolare Milano, Torino, Parma), attraverso le cosiddette "batterie".»[70]

«La pressante azione repressiva che nell'ultimo periodo ha interessato la provincia ha determinato una situazione di accentuata instabilità "incentivando" cosche di minore rilevanza a inserirsi in spazi tradizionalmente occupati dai Mancuso.

«Il dato trova riscontro in alcuni omicidi realizzati negli ultimi anni.

«Anche la recrudescenza degli omicidi è verosimilmente da ricercare nella gestione delle attività economiche connesse alle strutture turistiche e di intrattenimento ubicate sulla fascia litoranea.»[71]

---

70. Sco della Polizia di Stato, «Relazione sulla 'Ndrangheta», 30 giugno 2007.
71. Ros dei Carabinieri, «Relazione sulla Criminalità mafiosa in Calabria», giugno 2007.

«Nelle aree della provincia a maggiore vocazione turistico-alberghiera, come Tropea e Ricadi, si è evidenziata la famiglia mafiosa dei La Rosa che ha acquisito sul territorio costiero un ruolo predominante – specialmente in relazione al fenomeno estorsivo – forte anche della stretta alleanza con l'articolazione dei Mancuso capeggiata da Cosmo.

«Essa ha consolidato e ampliato il suo influsso criminale dal Comune di Tropea, paese d'origine della famiglia, nei Comuni di Ricadi, Parghelia, Zambrone, Briatico, Porto Salvo, Vibo Marina e Pizzo Calabro, per il controllo della gestione e della manutenzione delle forniture di numerose grosse strutture alberghiere, nel tentativo di imporre gli acquisti presso ditte riconducibili alla cosca.»[72]

Nel settembre 2006, l'ordinanza di custodia cautelare frutto dell'indagine «Odissea», coordinata dalla Dda di Catanzaro, ricostruisce l'ascesa della cosca La Rosa di Tropea, satellite dei Mancuso, sotto le direttive dei quali ha esteso la propria influenza nella maggior parte dei comuni costieri del vibonese, gestendo di fatto importanti strutture turistico-alberghiere come il Rocca Nettuno, Rocca, Garden Resort e la discoteca Casablanca. Emerge inoltre, dal suddetto provvedimento, la capacità della cosca di infiltrare gli apparati pubblici, anche allo scopo di ottenere indebiti finanziamenti e trattamenti giudiziari di

---

72. Sco della Polizia di Stato, «Relazione sulla 'Ndrangheta», 30 giugno 2007.

favore, come risulta anche dall'arresto di un giudice del Tribunale di Vibo Valentia e di un tecnico comunale che avrebbe esercitato pressioni su un'impresa.[73] Nell'area in esame si sono inoltre verificati episodi che confermano l'interessamento delle cosche nella gestione dello smaltimento dei rifiuti solidi urbani.[74] In relazione alle proiezioni nazionali dei Mancuso, la loro presenza in Lombardia è ampiamente nota. L'11 giugno 2006, a Seregno, i Carabinieri di Monza hanno rinvenuto un vero e proprio arsenale costituito da numerosi fucili mitragliatori, pistole mitragliatrici, armi comuni lunghe e corte, munizioni da guerra e comuni, bombe a ma-

---

73. «Sono stati eseguiti 13 provvedimenti restrittivi – 4 in carcere e 9 agli arresti domiciliari – nonché 3 misure interdittive di pubbliche funzioni, emessi dall'Autorità giudiziaria, nei confronti di altrettanti indagati, chiamati a rispondere, a vario titolo, di corruzione in atti giudiziari, truffa in danno dello Stato e falso in atto pubblico. L'attività investigativa ha consentito di identificare, nei destinatari dei provvedimenti restrittivi, i responsabili di numerose condotte corruttive attraverso le quali sarebbero state favorite parti processuali in alcuni procedimenti svolti nei confronti di consorterie mafiose, nonché di numerose truffe perpetrate in danno dello Stato, relativamente a finanziamenti pubblici destinati in seguito a fini privati. Tra i destinatari dei provvedimenti figura la Dr.ssa Patrizia Pasquini, presidente della Sezione Civile del locale Tribunale, Achille Sganga, geometra presso l'ufficio tecnico di Parghelia (VV), Guglielmo Grillo, funzionario della Regione Calabria all'assessorato dei Lavori Pubblici, Vincenzo Galizia, ingegnere capo dell'ufficio tecnico di Parghelia (VV), nonché avvocati, architetti e imprenditori locali.»

74. Ros dei Carabinieri, «Relazione sulla Criminalità mafiosa in Calabria», giugno 2007.

GEOGRAFIA DELLE COSCHE DELLA 'NDRANGHETA

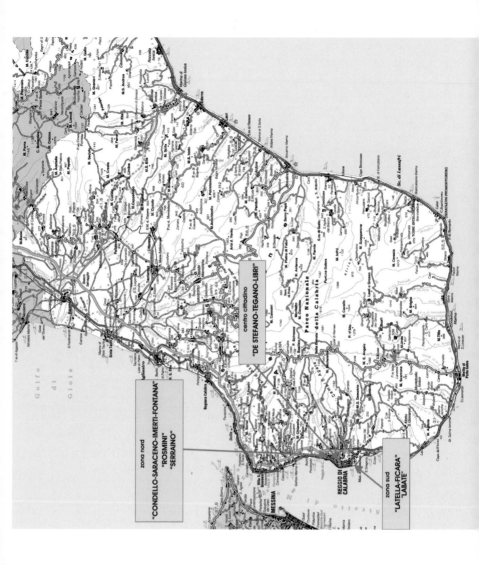

COSCHE DELLA 'NDRANGHETA OPERANTI NELLA PROVINCIA DI
REGGIO CALABRIA
CAPOLUOGO

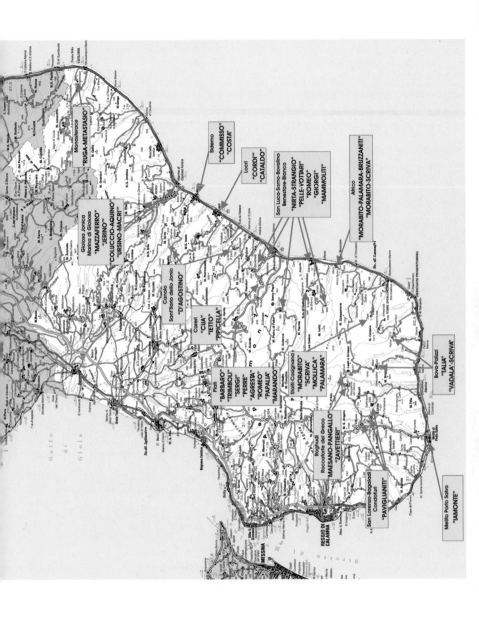

COSCHE DELLA 'NDRANGHETA OPERANTI NELLA PROVINCIA DI
REGGIO CALABRIA
VERSANTE JONICO

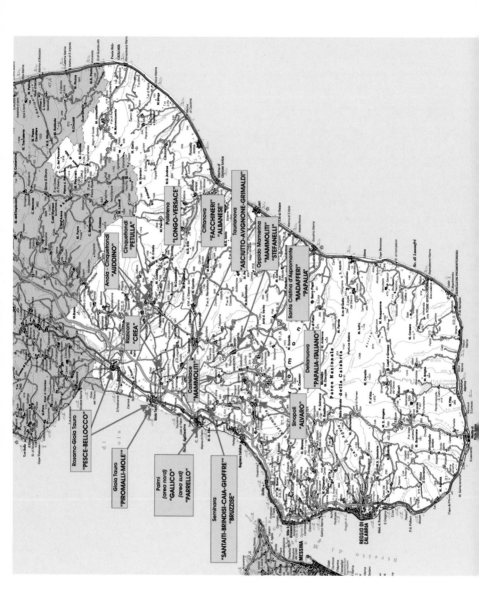

COSCHE DELLA 'NDRANGHETA OPERANTI NELLA PROVINCIA DI
REGGIO CALABRIA
VERSANTE TIRRENICO

COSCHE DELLA 'NDRANGHETA OPERANTI NELLA PROVINCIA DI
CATANZARO

COSCHE DELLA 'NDRANGHETA OPERANTI NELLA PROVINCIA DI
COSENZA

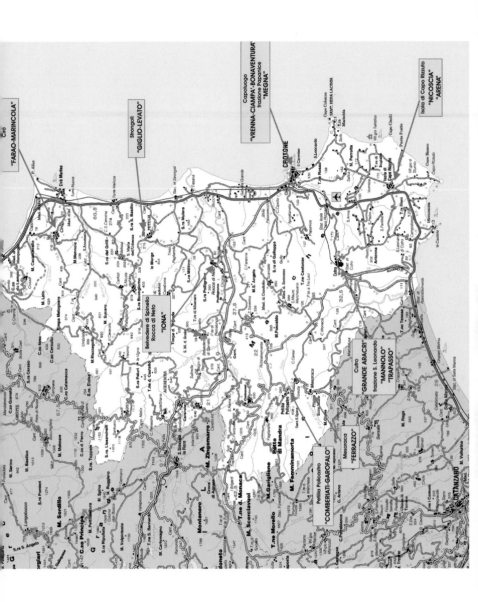

COSCHE DELLA 'NDRANGHETA OPERANTI NELLA PROVINCIA DI
CROTONE

COSCHE DELLA 'NDRANGHETA OPERANTI NELLA PROVINCIA DI
VIBO VALENTIA

no e altro, col conseguente arresto nella flagranza di Salvatore Mancuso di Limbadi.

Anche il Servizio Centrale Operativo evidenzia la presenza di «locali» di 'ndrangheta legati ai Mancuso nella provincia di Como e segnala la zona del Friuli Venezia Giulia come luogo di operazioni di riciclaggio riconducibili alla stessa famiglia.[75]

La straordinaria capacità dei Mancuso di infiltrarsi e condizionare la politica e le istituzioni emerge dall'inchiesta denominata «Dinasty 2» del 2006 e relativa al progetto di investimenti turistici INFRA-TUR. Nella vicenda risalta il ruolo di un magistrato del Tribunale di Vibo Valentia quale socio in affari in alcuni investimenti (Il Melograno Village s.r.l.) e garante e punto di riferimento delle cosche vibonesi. Un vero e proprio sistema di commistione tra esponenti politici, imprenditori e rappresentanti del clan Mancuso.

6.2 Gli altri gruppi

«Le altre organizzazioni criminali operanti in ambito provinciale, sono:
- nel capoluogo, la famiglia Lo Bianco, guidata da Carmelo Lo Bianco, gravitante nell'orbita del clan Mancuso, dedita alle estorsioni a esercizi commerciali e imprenditori, all'usura e allo scambio eletto-

---

75. Sco della Polizia di Stato, «La 'Ndrangheta», gennaio 2008, pag. 26.

rale politico-mafioso.[76] È stata, altresì, individuata una costola dell'organizzazione guidata dall'omonimo cugino (cl. 1945), che pur non entrando in netto contrasto con il resto dell'organizzazione, agisce autonomamente sul territorio;

- nella zona di Sant'Onofrio e Stefanaconi, le cosche Bonavota, con interessi anche nel torinese, e Petrolo;
- nella zona di Filadelfia e nei Comuni limitrofi di Polia, Maida, Curinga, Francavilla Angitola, Pizzo Calabro, San Nicola da Crissa, Monterosso Calabro, Capistrano, la cosca Fiumara-Anello, nota per essere stata coinvolta nel narco-traffico internazionale, sin dai tempi dell'indagine "Pizza Connection";
- nella zona delle Serre Calabre, dove sono soprattutto diffuse le estorsioni in danno degli imprendi-

---

76. Il 6.2.2007 investigatori di quella Squadra Mobile hanno eseguito un fermo di indiziato di delitto, emesso dalla competente Autorità giudiziaria, nei confronti di 23 tra elementi di vertice e affiliati ai Lo Bianco, per rispondere, a diverso titolo, dei delitti di associazione di tipo mafioso, estorsione, usura, detenzione abusiva di armi e altri gravi reati. Le indagini hanno consentito di svelare ruoli, modalità e strategie del potente clan nel condizionamento del regolare andamento economico dell'area attraverso indebite ingerenze nel settore degli appalti pubblici e, più in generale, nei diversi ambiti commerciali della provincia, attraverso violente e sistematiche estorsioni. Tra i destinatari del provvedimento, il capo clan Carmelo Lo Bianco. Nelle indagini è, infine, emerso il coinvolgimento dell'On.le Antonio Borrello dell'Udeur, che di recente ha assunto la carica di vicepresidente del Consiglio regionale della regione Calabria. Lo stesso, raggiunto da un avviso di garanzia, è stato indagato per scambio elettorale politico mafioso, poiché avrebbe richiesto alla «famiglia» Lo Bianco appoggio elettorale.

tori boschivi, principale fonte di reddito della zona, è egemone la cosca Vallelunga (Serra San Bruno, Mongiana, Spadola, Brognaturo, Simbario), ma agiscono e sono radicate anche le famiglie Emanuele-Maiolo-Oppedisano-Ida (Gerocarne, Soriano Calabro, Arena, Dasà, Acquaro, Dinami), avversi ai Loielo-Gallace; Mamone e Nesci-Montagnese (Fabrizia); Tassone (Nardodipace); Oppedisano (Dinami);

- nel comprensorio del Monte Poro (Comuni di Spilinga, Zungri, Rombiolo, Drapia e Zaccagnopoli), la cosca Accorinti-Fiammingo, referente dei Mancuso;
- nel Comune di Filandari, la cosca, di rilevanza minore, dei Soriano;
- a Briatico la cosca Accorinti (diversa da quella attiva in Monteporo, ma a essa legata da vincoli di parentela);
- a San Gregorio d'Ippona la cosca Fiarè guidata da Rosario Fiarè, collegata ai Mancuso;
- a Mileto e San Calogero, i Pititto sono i referenti locali dei Mancuso.»[77]

Di fatto, anche attraverso i legami nei diversi comuni, e le relazioni nei diversi campi di attività sia lecita che illecita, la cosca dei Mancuso esercita una diffusa egemonia su tutta la provincia.

---

77. Sco della Polizia di Stato, «Relazione sulla 'Ndrangheta», 30 giugno 2007.

IV. METAFORE DELLA MODERNITÀ

1. Il fallimento dello sviluppo

Percorrendo la Calabria dal Pollino allo Stretto, zigzagando tra le interruzioni dell'autostrada Salerno-Reggio Calabria e «gustando» i tempi lunghi imposti da lavori in corso infiniti, si può toccare con mano l'effetto del processo distorto di modernizzazione che negli ultimi trent'anni ha trasformato il paesaggio sociale e produttivo della regione.

Capannoni industriali abbandonati e luccicanti centri commerciali, coste stuprate dall'abusivismo e dalla cementificazione selvaggia, campagne moderne e ordinatamente coltivate ed ettari di fondi abbandonati, rare isole produttive modernamente attrezzate e reperti di archeologia industriale, usurati dal tempo, testimoni di uno sviluppo promesso e mai arrivato.

Nonostante l'impegno politico e finanziario profuso nei decenni – dalla Cassa per il Mezzogiorno a tutta la politica degli interventi straordinari – uno sviluppo armonico della realtà calabrese continua a rimanere una chimera, un obiettivo il cui conseguimento spesso si allontana di pari passo con l'avanzare di programmi e progetti di investimento, inesorabilmente frenati anche dalla presa che la 'ndrangheta mantiene sull'intera economia della regione.

A fronte della fragilità e permeabilità dell'apparato politico amministrativo e della lentezza con cui procedono gli interventi volti a una sua razionalizzazione e a un miglioramento della sua efficienza, la 'ndrangheta ha manifestato, al contrario, una rapida capacità di adeguarsi alle trasformazioni intervenute nel contesto economico e sociale.

Forte del suo atavico radicamento territoriale, mantenuto costante nel tempo, e irrobustita da disponibilità finanziarie sempre maggiori, ha acquisito una sempre maggiore capacità di condizionamento e inquinamento degli organi e apparati amministrativi e politici calabresi.

Esempi emblematici rimangono i casi del porto di Gioia Tauro e dell'autostrada A3 Salerno-Reggio Calabria, grandi, strategiche ed eternamente incompiute infrastrutture, su cui le cosche hanno esteso nel tempo i loro tentacoli sovrastando in alcune fasi l'azione di contrasto, che pure negli anni ha ottenuto significativi risultati.

In entrambi i casi risulta essersi perpetuato il perverso paradigma in base al quale le infiltrazioni della 'ndrangheta negli appalti e subappalti per la realizzazione delle grandi infrastrutture – con quanto ne consegue in termini di dispersione delle risorse e di qualità delle realizzazioni – sono state favorite nel corso dei decenni dagli accordi stretti, e spesso raggiunti in via preventiva, tra le grandi imprese nazionali e i capi delle più importanti famiglie mafiose dei territori interessati dai lavori.

Tali patti non si sarebbero potuti stringere in assenza di

un sistema di connivenze con gli apparati politico-amministrativi.

Le indagini svolte e i diversi processi celebrati nell'ultimo decennio hanno messo a nudo un diffuso atteggiamento di pressoché totale assenza di collaborazione da parte degli imprenditori con le forze dell'ordine e la magistratura, oltre a una piena sudditanza alle varie pratiche estorsive: dal pagamento del pizzo, all'imposizione delle forniture e della manodopera, all'accettazione dell'estromissione da gare di appalto e lavori in favore di imprese riconducibili alle famiglie mafiose.

Su tale costume non ha inciso negli ultimi tempi neanche la posizione assunta da Confindustria Sicilia, che ha finalmente approvato un codice deontologico che prevede l'espulsione delle imprese che non denunciano la loro condizione di assoggettamento a Cosa nostra, né la presa di posizione dei vertici nazionali dell'organizzazione, che hanno invitato i loro iscritti a recidere i rapporti con le organizzazioni mafiose.[1]

È significativa la circostanza, certamente non casuale, che proprio Confindustria di Reggio Calabria sia stata commissariata.

Ma indagini e processi, come sottolineato dalla Direzione Nazionale Antimafia,[2] hanno evidenziato anche il persistere di un grave problema di infiltrazioni e collusioni tra famiglie mafiose e pubbliche amministrazioni loca-

---

1. Audizione del presidente nazionale di Confindustria Luca Cordero di Montezemolo, 10 ottobre 2007.
2. Relazione della Direzione Nazionale Antimafia del 2007.

li. Così spiega il meccanismo un'ordinanza del Gip di Catanzaro del 13 settembre 2006, emessa nei confronti di appartenenti al clan Mancuso:

«La struttura in esame, inoltre, secondo quanto emerso dalle indagini, è riuscita a infiltrarsi anche nel settore della Pubblica amministrazione, pilota l'assegnazione di gare e appalti pubblici e quindi beneficia, in modo diretto o indiretto, delle notevoli risorse finanziarie a tal fine stanziate. Dalle indagini è emerso dunque uno spaccato desolante delle attività economiche pubbliche o private svolte nel contesto territoriale sopraindicato: tutte le più significative e importanti realtà produttive e commerciali appaiono dominate dal potere mafioso che annienta la libertà d'iniziativa economica privata, inquina la gestione della cosa pubblica, in una parola impedisce il reale sviluppo del territorio le cui risorse naturali, lungi dall'essere patrimonio della collettività, in realtà diventano strumento di arricchimento e consolidamento dei componenti del gruppo per cui si procede», e ancora, «i Mancuso erano soliti infiltrarsi a ogni livello sia economico che politico operando unitamente alle famiglie Piromalli e Pesce sulla zona della Piana di Gioia Tauro. In particolare i Mancuso controllavano tutto il vibonese...»

2. Gioia Tauro, porto franco

La Commissione Antimafia della XV Legislatura per la sua prima missione in Calabria ha scelto simbolicamente di cominciare il suo lavoro d'inchiesta nel porto di Gioia Tauro. Si sono svolte lì le prime audizioni.

Gioia Tauro e il suo porto rappresentano la metafora di un processo di modernizzazione senza sviluppo che ha segnato il corso della storia della Calabria da decenni. È alla fine degli anni Sessanta, infatti, nel vivo di una straordinaria stagione politica e culturale che animò il dibattito meridionalista che ebbe proprio in Calabria importanti protagonisti, che si afferma la prima grande idea di programmazione degli interventi pubblici. Da allora tanto tempo è passato ma forse quella, al di là delle diverse opinioni, rimane l'ultima grande idea organica di sviluppo della Calabria. Da quel momento sono cambiate le politiche di intervento verso il Sud al fine di accorciare il divario dal resto del Paese. Rimane però un dato: la Calabria si colloca agli ultimi posti in tutti gli indicatori di sviluppo, economici e sociali.

Una storia di illusioni e disincanto che ha animato scontri politici e lotte sociali, dibattiti parlamentari e interessi materiali, grandi inchieste giornalistiche e azioni giudiziarie. Una storia complessa con tanti protagonisti e un convitato di pietra: la 'ndrangheta.

Il porto, progettato negli anni Sessanta come porto industriale al servizio del mai realizzato V Centro siderurgico, venne inaugurato solo nel 1992 e la sua definitiva destinazione fu quella di *terminal-hub* per containers, sulla base di un progetto dell'imprenditore Angelo Ravano, legale rappresentante della multinazionale Contship Italia, che mirava a farne il principale scalo di *transhipment* di containers del Mediterraneo.

Il progetto fu condiviso dal Governo dell'epoca, che siglò con il Ravano un apposito «Protocollo di Intesa».

E in effetti l'attività avviata dalla Contship e dalla sua

filiazione Medcenter Containers Terminal (MCT) si è sviluppata a ritmo elevato, fino a far assumere allo scalo, nel 1995, il ruolo *leader* nel settore del *transhipment* nell'area mediterranea.

Le indagini condotte tra il 1996 e il 1998 dalla Squadra Mobile e dalla Dia di Reggio Calabria, confluite nel processo denominato «Porto» conclusosi con la condanna di numerosi imputati, dimostrano come l'interesse e la volontà della 'ndrangheta di mettere le mani sulla straordinaria occasione di arricchimento costituita dal Porto si fossero manifestate ancor prima che il concessionario iniziasse la sua attività.[3]

---

3. Richiesta, in data 8 ottobre 1998, del Pm della Dda di Reggio Calabria di misura cautelare nei confronti di Piromalli Giuseppe + 36, imputati.
A) «per il delitto di cui all'art. 416 bis commi I, II, III, IV, V, VI C.P. perché si associavano tra loro nell'ambito della 'ndrangheta della Piana di Gioia Tauro operante nel territorio dei Comuni di Gioia Tauro, Rosarno e San Ferdinando articolantesi nelle 'ndrine Piromalli-Molè, che esercitava il potere criminale nel territorio di Gioia Tauro, Pesce e Bellocco, che esercitavano il potere criminale nel territorio di Rosarno, e tutte anche nel territorio di San Ferdinando, costituendo un'organizzazione mafiosa che – avvalendosi della forza di intimidazione che scaturiva dalle dette 'ndrine e delle corrispondenti condizioni di assoggettamento e di omertà che si creavano nei citati territori, ove era insediata la potenza criminale delle predette affermatasi nel corso del tempo con la commissione di efferati delitti contro la persona e il patrimonio e grazie anche all'ampia disponibilità di armi, e operando anche sulla scorta degli accordi che negli anni '92 e '93, in virtù del controllo che le dette 'ndrine esercitavano sul territorio, con le medesime aveva stretto il presidente della Contship Italia S.p.A. Ravano Angelo in funzione dello sfruttamento economico del porto di Gioia Tauro che ricadeva nell'area dei menzionati territori – aveva come scopo quello:

Contestualmente, già nella fase ideativa del progetto, si era manifestata la subalternità alla 'ndrangheta della Contship Italia e del suo leader e fondatore Angelo Ravano, con l'obiettivo di realizzare senza ostacoli e interferenze il suo progetto imprenditoriale.

Ravano mostrava così di considerare l'organizzazione mafiosa non un nemico della libera iniziativa economica,

---

1) di trarre illeciti profitti dalle attività economiche, in gran parte finanziate dallo Stato e da altri enti pubblici nazionali e dalla Comunità Europea, connesse allo sviluppo della detta struttura derivante dall'accordo di programma concluso tra il Governo italiano e la predetta S.p.A. in data 29.7.94, e avente per oggetto il completamento del porto, l'inizio della sua attività e l'adeguamento e sistemazione della circostante area;

2) di influire sulle decisioni della Pubblica amministrazione relative all'assetto territoriale dell'area interessata e, corrispondentemente, di ottenere il favore e/o la complicità dei pubblici ufficiali competenti;

3) di conseguire vantaggi patrimoniali dalle imprese operanti nel territorio attraverso affidamenti di lavoro e/o erogazioni di forniture di beni e/o servizi (da distribuire in base a precisi accordi di ripartizione territoriale intercorsi tra le dette 'ndrine) e assunzione di mano d'opera, ovvero direttamente attraverso la corresponsione di somme di denaro a titolo di compendio estorsivo;

4) di accaparrarsi fraudolentemente contributi e/o agevolazioni economico-finanziarie da parte dello Stato e altri Enti pubblici, anche attraverso la partecipazione allo svolgimento delle attività produttive nell'area portuale e nella circostante zona industriale;

5) e, comunque, infine, di procurarsi ingiuste utilità».

Molè Girolamo, Albanese Girolamo
B) «del reato p. e p. dagli artt. 81, cpv., 110, 112 II comma, 56, 629 (in relazione all'art. 628, comma III, n. 1 e 3 e 61 n. 7) c.p. e 7, I comma, L. 203/1991, per avere – in concorso tra loro e con Pepè Domenico, Sicari Giuseppe, Piromalli Giuseppe, Pesce Savino, Piromalli

da contrastare e denunciare, ma un interlocutore affidabile e necessario a tutela e garanzia della realizzazione del proprio progetto imprenditoriale.

Il processo, conclusosi nel 2000, ha dimostrato che la realizzazione del più importante investimento di politica-industriale mai pensato per il Sud, era stato preceduto da un preventivo accordo tra la multinazionale diretta dal-

---

Gioacchino, Riso Vincenzo, Zito Antonio e Zungri Antonio (nei cui confronti si procede separatamente per questo reato), e ignoti, tutti facenti parte di un'associazione di tipo mafioso, il Molè, il Pepè e il Piromalli Giuseppe come promotori della cooperazione nel reato, con minacce poste in essere da più persone riunite di gravi ritorsioni in caso di rifiuto e prospettando protezioni in tutti i settori in caso di accordo (così facendo intendere di gestire il potere mafioso nella zona, dal che derivava ulteriore ragione di intimidazione) – compiuto atti idonei diretti in modo non equivoco a costringere la società Medcenter, nella persona del suo vicepresidente Walter Lugli, e la società Contship, in persona del suo presidente Enrico Ravano, a versare una tangente corrispondente alla somma di dollari 1,50 per ogni container scaricato, pari al 50% degli effettivi profitti conseguiti dalle Società per ogni container, nonché ad inserire nelle attività dei servizi portuali società dagli stessi imputati segnalate (alcune delle quali facenti capo ad essi medesimi), e così ponendo in essere una molteplicità di atti diretti a conseguire ingiusti profitti con danni di rilevante entità per la Società. Senza riuscire in tale intento per cause indipendenti dalla loro volontà e precisamente per l'intervento delle Autorità che interrompevano il protrarsi dell'azione criminosa.

Con l'aggravante di avere commesso il fatto avvalendosi delle condizioni previste dall'art. 416 bis c.p., ovvero al fine di agevolare l'attività dell'associazione per delinquere di stampo mafioso denominata Cosca Piromalli-Molè di Gioia Tauro, e della collegata Cosca Pesce di Rosarno.

In Gioia Tauro, Rho (MI) fino al 14.4.1997.»

l'imprenditore Angelo Ravano e le cosche Piromalli-Molè di Gioia Tauro e Bellocco-Pesce di Rosarno, allora come oggi dominanti nella Piana di Gioia Tauro, consociate in un unico cartello e unitariamente rappresentate nelle trattative dal boss Piromalli.

La circostanza, peraltro, non può suscitare meraviglia, poiché da numerose indagini è emerso come le cosche del reggino, a differenza di quelle radicate in altre realtà territoriali, dopo la fine della guerra fratricida agli inizi degli anni Novanta, avevano dato vita a una sorta di rete federale ai cui vertici sedevano i capi delle maggiori famiglie, con l'obiettivo di gestire e ripartire tra loro gli affari e dirimere eventuali controversie.

L'accordo prevedeva il pagamento di una sorta di «tassa» fissa di un dollaro e mezzo su ogni container trattato in cambio della «sicurezza» complessiva dell'area portuale. La cifra potrebbe apparire irrisoria ma va rapportata al numero complessivo di containers trattati annualmente, quasi 3 milioni oggi e circa 60.000 all'epoca, per capire quanto essa rappresenti un'enorme fonte di liquidità.

Per gestire l'affare miliardario dell'estorsione alla Contship, secondo i giudici del Tribunale di Palmi, le cosche della Piana, sia le più importanti che le minori, si erano federate in una sorta di «supercosca».

Il progetto non riguardava solo il pagamento della «tassa sulla sicurezza», crescente proporzionalmente allo sviluppo delle attività delle società portuale, ma anche quello di ottenere il controllo delle attività legate al porto, dell'assunzione della manodopera e i rapporti con i rappresentanti dei sindacati e delle istituzioni locali.

La 'ndrangheta, quindi, coglieva l'occasione che le consentiva di uscire dalla sua condizione di arretratezza per divenire protagonista dinamica della «modernizzazione» della Calabria.

Il progetto, nonostante l'azione della magistratura, è stato in parte realizzato: esso ha portato, infatti, al sostanziale dissolvimento di qualunque legittima concorrenza da parte di imprese non mafiose o non soggette alla mafia, estromesse dai lavori, dalle forniture, dai servizi e dalle assunzioni di manodopera e ha introdotto elementi di scarsa trasparenza nei comportamenti di enti e istituzioni locali. Tra questi enti spicca il Consorzio per lo Sviluppo dell'Area Industriale che, nei primi anni, era l'unico organismo competente in materia di approvazione di progetti, assegnazione di aree, gestione della spesa dei finanziamenti ecc.

Negli anni a seguire, a ciò si sono aggiunti sia la confusione di poteri e competenze tra il Consorzio e la costituita Autorità Portuale sia i conseguenti conflitti tra i due Enti, aggravati dall'assenza di controlli e di coordinamento da parte della Regione e degli altri enti locali.

Dagli elementi raccolti da questa Commissione[4] i problemi evidenziati sono ancora oggi irrisolti.

Perdura il controllo diretto o indiretto da parte della 'ndrangheta su buona parte delle attività economiche ri-

---

4. Acquisizioni documentali e audizioni dei soggetti, sia istituzionali che privati, che hanno avuto ragione di occuparsi del fenomeno o di entrare in contatto con lo stesso, audizioni e relazioni fornite.

conducibili all'area interessata e la capacità delle cosche di utilizzare le strutture portuali per traffici illeciti, e anche leciti, di varia natura.

Permane quindi, la scarsa trasparenza delle scelte e dei comportamenti degli enti titolari delle competenze sull'area portuale e sull'adiacente area di sviluppo industriale. Tale situazione, se non vi si pone rimedio, è inevitabilmente destinata ad aggravarsi in relazione agli ingenti investimenti che nei prossimi anni interesseranno l'intera area di Gioia Tauro e lo sviluppo dello scalo:

- costruzione dell'impianto per la rigassificazione del gas naturale liquefatto, cui si accompagnerebbe la cosiddetta «piastra del freddo», con l'insediamento di aziende manifatturiere e logistiche legate all'utilizzo del freddo, sottoprodotto dell'impianto principale;
- piattaforma logistica intermodale, destinata a sfruttare le grandi aree disponibili per l'allestimento di molteplici servizi collegati allo scalo merci, che verrebbe collegato a differenziate reti di trasporto;
- *hub* automobilistico, destinato ad accogliere i veicoli esportati in Europa dalle industrie dell'Estremo Oriente, con relativo adeguamento di tutte le strutture oggi esistenti.

Le cosche Piromalli-Molè, Bellocco-Pesce e le altre a esse collegate hanno già dimostrato di non trascurare alcun settore economico nelle zone sotto il loro dominio, con una grande capacità di adeguarsi sia dal punto di vista strettamente criminale che da quello finanziario e imprenditoriale alle nuove opportunità offerte loro sul territorio.

Le azioni di intelligence e investigative hanno dimostrato che gran parte delle attività economiche che ruotano attorno e all'interno dell'area portuale sono controllate o influenzate dalle cosche della Piana, che utilizzano la struttura anche come scalo per i loro traffici illeciti.[5]

Peraltro, come rilevato dalla stessa Dda, la fase di pace che caratterizza l'attuale momento storico e l'assenza di manifestazioni eclatanti di violenza verso le imprese può avere una sola spiegazione: le cosche hanno deciso di gestire nel silenzio i grandi affari che si prospettano nella Piana e di continuare a sfruttare nel modo migliore il controllo che esercitano sul porto.

Sempre la Dda di Reggio Calabria, con un'indagine condotta assieme al Ros dei Carabinieri, ha svelato l'esistenza di un gruppo criminale con funzionari corrotti dell'Agenzia delle Dogane, responsabile di controlli doganali irregolari.

Il circuito delle verifiche doganali e dei servizi di intelligence e di controllo dei containers sbarcati – circa 3.000.000 nel 2006 – ha un'importanza strategica per il contrasto alle infiltrazioni della criminalità organizzata.

Del resto è l'intera gamma delle attività interne e dell'indotto a subire il condizionamento mafioso: dalla gestione dello scalo alle assegnazioni dei terreni dell'area in-

---

5. Relazione Dda di Reggio Calabria «Analisi e proposte in merito a un rafforzamento dei presidi di legalità nel porto di Gioia Tauro del 16.3.2007» (doc. 225.1).

dustriale, dalla gestione della distribuzione e spedizione delle merci al controllo dello sdoganamento e dello stoccaggio dei containers.

Ma il porto offre alle cosche anche un'importante opportunità per diversificare le proprie attività illecite:[6]

• *Traffico illecito di rifiuti:*
l'indagine «Export» del luglio 2007, condotta dalla Procura della Repubblica di Palmi, ha consentito il sequestro, nell'area portuale, di 135 containers carichi di rifiuti di diversa specie e qualità diretti in Cina, India, Russia e in alcune nazioni del Nord Africa.
Si tratta di un'indagine particolarmente complessa che coinvolge anche le Procure di Bari, Salerno, S. Maria Capua Vetere, Monza e Cassino e riguarda 743.150 kg di rifiuti da materie plastiche, 154.870 kg di contatori elettrici, 1.569.970 kg di rottami metallici, 10.800 kg di parti di autovetture e pneumatici, 695.840 kg di carta straccia. Rilevantissimo è il numero delle persone indagate con il coinvolgimento di 23 aziende italiane operanti nel campo dello smaltimento dei rifiuti.

• *Contrabbando di tabacchi:*
questa attività sta attraversando, nuovamente, una fase di espansione, e, contemporaneamente, una fase di trasformazione dei modelli tradizionali.

---

6. Audizione in Commissione Parlamentare Antimafia nel corso della missione a Reggio Calabria e Gioia Tauro, il 23 e 24 luglio 2007.

La crescita delle vendite illegali di tabacchi coincide con il generale aumento dei consumi mondiali – specie delle zone più povere – frutto dell'intensa opera di marketing delle multinazionali.

I grandi produttori di sigarette, infatti, vogliono recuperare, a livello mondiale, le perdite determinate dalla notevole contrazione della domanda verificatasi negli ultimi anni nei Paesi occidentali, e soprattutto negli Usa, in conseguenza dei successi delle campagne antifumo e dei sempre più diffusi impedimenti legali al consumo.

Il 7 giugno 2006, nove tonnellate di sigarette di contrabbando di marca Bon, per un valore di un milione e mezzo di euro, sono state sequestrate dalla Guardia di Finanza al termine di un'operazione condotta nel porto di Gioia Tauro. Il carico è stato scoperto all'interno di un container proveniente da Jebel Ali (Emirati Arabi) con la motonave *MSK Detroit*. Il contenitore carico di sigarette, ma che avrebbe dovuto trasportare giocattoli, era destinato in Croazia.

Il 2 agosto 2006 sono state sequestrate oltre sei tonnellate di sigarette.

Erano nascoste all'interno di un container sempre proveniente da Jebel Ali (Emirati Arabi) e con successiva destinazione Salonicco (Grecia). Il container doveva contenere «pannelli di cartongesso» e invece sono state trovate oltre 30 mila stecche di sigarette di marca Passport per un valore di oltre un milione di euro.

- *Traffico di sostanze stupefacenti*:
  il porto, come evidenziato dall'operazione «Decollo bis», rappresenta un nodo strategico per tutte le rotte mediterranee della droga.
  Questa operazione portava all'emissione da parte del Gip di Catanzaro di un'ordinanza di custodia cautelare nei confronti di 112 soggetti, tra i quali alcuni esponenti della cosca Pesce di Rosarno. Nell'ambito della stessa operazione, nel porto di Salerno venivano sequestrati 541 kg di cocaina, importata attraverso la ditta Marmi Imeffe di Vibo Valentia con destinazione il porto di Gioia Tauro.[7]

L'operazione è una delle tante che provano come il porto nella fase della massima espansione delle sue attività fosse già utilizzato dalle 'ndrine come porta d'accesso di ingenti quantitativi di sostanze stupefacenti.

Anche dalle audizioni degli organi a ciò istituzionalmente demandati,[8] è emerso che, nonostante indubbi progressi in tema di prevenzione e repressione (rafforzamento dell'apparato di contrasto, creazione del Commissariato Straordinario per la sicurezza del porto; Patto Calabria Sicura, stipulato tra ministero degli Interni, Regione Calabria, Provincia di Catanzaro, Provincia di Reggio Calabria; Programma Calabria) l'area portuale di Gioia Tauro continui a mantenere intatta la sua problematicità.

---

7. Schede Dia relative a operazioni condotte nei confronti di appartenenti alla 'ndrangheta.
8. Audizioni Comitato Provinciale per l'Ordine e la Sicurezza.

È stato evidenziato, infatti, che il bacino portuale, che oggi movimenta più di 7500 containers al giorno su tratte internazionali e intercontinentali, e che presenta enormi potenzialità di espansione, necessita del potenziamento dei sistemi di controllo sulle attività che in esso si svolgono.

Nello specifico, il prefetto di Reggio Calabria ha posto la necessità di una verifica dell'entità – in termini di uomini e mezzi – e dell'efficacia sia della presenza di Capitaneria di Porto che della Guardia di Finanza, in modo da rendere effettivi e capillari i controlli sui movimenti di merci in un'area di così vasta portata, visto che le cosche esercitano un «pacifico e disciplinato controllo del territorio grazie al flusso economico determinato dal sistema porto anche nell'indotto», con conseguente «rarefazione di manifestazioni violente nella zona.»

Anzi, «l'assenza di attentati o danneggiamenti di alcun tipo nell'area del porto è il chiaro segnale di un controllo che non ha bisogno di prove di forza per continuare ad aumentare e consolidare il proprio potere.»

Tuttavia il contesto descritto potrebbe essere messo in crisi dall'eclatante e simbolico omicidio del boss Rocco Molè, capo dell'ala militare della cosca Piromalli-Molè, avvenuto nei pressi della sua abitazione, a Gioia Tauro, il 1° febbraio 2008.

La conclusione cui giunge il prefetto è indicativa delle difficoltà anche degli organi dello Stato nello sviluppo dell'azione di contrasto: in un contesto così pervaso dalla presenza mafiosa, inabissata o dissimulata all'interno del sistema delle imprese e delle attività legali, sul piano della prevenzione generale l'attività di forze di polizia e magistratura, pur di elevatissima professionalità, è insufficiente e occorre attivare una rete di infiltrazione non convenzionale idonea a raccogliere informazioni utili su cui fondare l'opera dei primi.[9]

Conferma che arriva anche dal presidente dell'Autorità Portuale che ha segnalato due casi inquietanti.

Nel primo caso, nell'ambito di un procedimento finalizzato al rilascio di una concessione demaniale pluriennale richiesta dalla società Meridional Trasporti, l'Autorità Portuale, dopo avere accertato che la società risultava in possesso di certificazione antimafia, acquisiva un'informazione prefettizia che, al contrario, segnalava il pericolo di infiltrazione mafiosa a carico della stessa, mettendo così a nudo un problema più generale che deve far riflettere sull'efficacia reale della stessa certificazione antimafia.

Nel secondo caso, nel corso di lavori già affidati in subappalto all'impresa Tassone – contratto di nolo a caldo – l'Autorità Portuale acquisiva informazioni prefettizie che segnalavano il pericolo di infiltrazioni mafiose a carico del subappaltatore. La conseguente ingiunzione all'appaltatore principale di revocare il contratto di sub appalto, restava, tuttavia, priva di effetto poiché la ditta non veniva allontanata dal cantiere.

La persistente criticità della situazione dell'area portuale è stata evidenziata anche dalla Direzione Centrale Anticrimine (Dac) nella relazione del gennaio 2008 consegnata alla Commissione, che ha evidenziato il riproporsi

---

9. Audizione Comitato per la sicurezza, Reggio Calabria, 24.7.2007.

di segnali allarmanti della stretta asfissiante delle cosche sulle intere attività economiche della piana.

Un'inchiesta conclusa nel 2001 portava, infatti, all'emissione di un'ordinanza di custodia cautelare in carcere nei confronti di dieci soggetti tra i quali Carmelo Bellocco e Antonio Piromalli, indagati per associazione mafiosa ed estorsione, ritenuti responsabili di controllare e condizionare con tali mezzi la regolarità delle attività incentrate sul porto di Gioia Tauro.

È particolarmente allarmante che nell'area portuale siano ancora presenti imprese accertatamente mafiose già individuate nel corso dell'indagine «Porto» le quali, ricorrendo al semplice espediente del cambiamento di denominazione o ragione sociale, hanno tranquillamente continuato per anni, e continuano tuttora, a operare.

In questo contesto è comunque positivo che sia stato rinforzato il dispositivo di contrasto con la creazione di un pool investigativo composto da operatori della Sezione Criminalità Organizzata della Squadra Mobile di Reggio e del Commissariato P.S. di Gioia Tauro con il compito esclusivo di investigare e fronteggiare le infiltrazioni mafiose nel porto.

La Commissione, pertanto, sulla base dei comuni allarmi lanciati dai soggetti istituzionali ascoltati nelle audizioni, sottolinea il perdurare delle infiltrazioni mafiose nel tessuto economico e imprenditoriale nell'area portuale e ne evidenzia il peso sociale ed economico, con una capacità delle principali cosche della Piana di intessere relazioni ambigue e pericolose sia con i soggetti economici che con quelli istituzionali.

In relazione a tale quadro, particolare preoccupazione

suscita il preannunciato arrivo di ingenti finanziamenti europei, nazionali e regionali.

Lo stesso Dpef del 2007 ha inserito Gioia Tauro tra le aree destinatarie di investimenti particolareggiati.

Dato questo scenario la Commissione auspica che si determini il massimo sostegno alle forze di polizia e alla magistratura sviluppando in modo sempre più efficace l'azione di contrasto anche con un migliore coordinamento interforze di tutti i corpi di polizia. Utile potrebbe essere l'impegno degli apparati di intelligence, al fine di acquisire e fornire a polizia e magistratura informazioni altrimenti difficilmente disponibili.

Attività da sviluppare comunque in modo trasparente e sotto il controllo delle istituzioni parlamentari.

È altrettanto necessario superare la confusione di poteri e competenze tra Enti e istituzioni territoriali e regionali causa anch'essa della scarsa trasparenza dei processi decisionali e punto di fragilità in cui, come già è avvenuto, più facilmente si annida il pericolo di infiltrazioni mafiose.

Infine, diventa sempre più urgente l'istituzione di una banca dati centralizzata delle certificazioni e delle informative antimafia e la stipula di protocolli che definiscano procedure certe e automatiche per lo scambio di informazioni tra la Dna, la Dia e il ministero degli Interni.

3. La Salerno-Reggio Calabria

Altrettanto emblematico è il caso dell'autostrada A3 Salerno-Reggio Calabria, l'autostrada mulattiera, eterna incompiuta, simbolo materiale della permanenza nel Paese di una storica questione meridionale e della precarietà della condizione della Calabria, eternamente malata, perennemente in «cura» ma costantemente incapace di guarire dai suoi mali strutturali.

L'autostrada, realizzata in meno di un decennio, tra la metà degli anni Sessanta e la metà dei Settanta, doveva unire il Mezzogiorno d'Italia al resto del Paese e all'Europa, e rappresentare una sorta di via d'uscita dal sottosviluppo e dall'arretratezza.

Per questa sua funzione strategica, considerate le condizioni sociali delle aree interessate, la legge 729 aveva previsto anche l'esenzione dal pedaggio.

La sua costruzione, sebbene portata a termine in tempi accettabili in relazione alla sua lunghezza – oltre 440 chilometri – fu segnata, fin dalle prime fasi, dall'ingerenza delle organizzazioni mafiose, che ne ha accompagnato la storia infinita fino ai nostri giorni. Come ebbe a sottolineare l'allora Questore di Reggio Calabria Santillo, già in quei primi anni Settanta le imprese settentrionali vincitrici degli appalti si rivolgevano agli esponenti mafiosi prima ancora di aprire i cantieri: contraevano così una sorta di precontratto per garantirsi la sicurezza e affidare loro le guardianìe, per selezionare l'assunzione di personale e assegnare le forniture di calcestruzzo e le attività di movimento terra.

Negli anni l'autostrada, che era stata progettata con caratteristiche tecniche rispecchianti la classificazione delle strade dell'epoca, ha manifestato in modo sempre più evidente gravi limiti, inadeguata a sopportare i crescenti volumi di traffico e l'esplosione del trasporto su gomma.

Questi limiti, assieme all'aggiornamento della normativa sulle caratteristiche geometriche delle strade, sulle strutture in cemento armato, sulle aree sismiche, sulla stabilità dei pendii e sui parametri di sicurezza, hanno reso necessaria la sua riqualificazione.

Così, dal 1997, sono perennemente in corso lavori di ammodernamento e ampliamento della struttura, sostenuti da finanziamenti pubblici nazionali ed europei interminabili, con continui incrementi delle previsioni di spesa e relativi aggiornamenti dei bandi di gara.

Un affare senza fine di cui non poteva non occuparsi oltre alla 'ndrangheta anche la magistratura.

La prima inchiesta, denominata «Tamburo» e coordinata dalla Dda di Catanzaro,[10] nel 2002 portava all'emissione di un'ordinanza di custodia cautelare in carcere nei confronti di 40 indagati, tra i quali imprenditori, capimafia, semplici picciotti e funzionari dell'Anas. Con la stessa ordinanza venivano sequestrate diverse imprese attive nei lavori di movimento terra, nella fornitura di materiali edili e stradali e nel nolo a caldo di macchine.

La seconda, più recente, denominata «Arca» e coordinata dalla Dda di Reggio Calabria[11] ha portato all'emissione di ordinanza di custodia cautelare in carcere nei confronti di 15 indagati. In questo caso, oltre al sequestro di

---

10. Ordinanza Gip Catanzaro del 16.11.2002.
11. Ordinanza Gip Reggio Calabria del 2.7.2007.

diverse imprese impegnate nei subappalti, tra gli arrestati, assieme ai capimafia e ai titolari di imprese, compare anche un sindacalista della Fillea-Cgil.

Da entrambe le inchieste emerge un vero e proprio sistema fondato sulla connivenza delle imprese e sulle collusioni e le inefficienze della Pubblica amministrazione che, immutabili nel tempo, caratterizzano in Calabria ogni intervento pubblico finalizzato alla realizzazione di grandi opere infrastrutturali.

È opportuno precisare che si tratta di procedimenti in corso e che sui fatti che ne costituiscono oggetto non è stata ancora emessa sentenza definitiva ma, lungi dall'assumere i provvedimenti giudiziari come fonte di verità definitivamente sancita, la Commissione può e deve tuttavia utilizzarne i dati di maggiore interesse che rappresentano anche i più recenti elementi di conoscenza. In ogni caso si tratta di elementi vagliati dall'Autorità giudiziaria e, al di là dell'*iter* processuale, di fatti oggettivamente certi.

Le due indagini hanno preso in considerazione i lavori di ammodernamento dell'autostrada riguardanti due distinte aree territoriali: l'inchiesta della Dda di Catanzaro ha analizzato i lavori ricadenti nel tratto Castrovillari-Rogliano in provincia di Cosenza, la seconda, della Dda di Reggio Calabria, i lavori ricadenti nel tratto Mileto-Gioia Tauro.

Nell'uno e nell'altro, il meccanismo di controllo e sfruttamento realizzato dalle diverse organizzazioni mafiose è lo stesso.

Questa omogeneità di comportamenti è stata spiegata dal collaboratore Antonino Di Dieco, un commercialista che negli anni aveva assunto un ruolo di primo piano nelle cosche del cosentino ed era poi divenuto il rappresentante della famiglia Pesce nella provincia di Cosenza, il quale ha riferito come tutte le principali famiglie, i cui territori erano attraversati dall'arteria autostradale, avevano raggiunto tra loro un accordo per lo sfruttamento di quella che costituiva una vera miniera d'oro.

L'accordo prevedeva una sorta di predefinizione delle procedure applicabili e una ripartizione su base territoriale delle zone di competenza con i relativi «pagamenti» secondo il seguente schema riferito dallo stesso Di Dieco:

- le famiglie della sibaritide, con quelle di Cirò, per il tratto che andava da Mormanno a Tarsia;
- le famiglie di Cosenza, per il tratto che andava da Tarsia sino a Falerna;
- le famiglie di Lamezia (Iannazzo), per il tratto che andava da Falerna a Pizzo;
- la famiglia Mancuso per il tratto che andava da Pizzo all'uscita Serre;
- la famiglia Pesce per il tratto compreso tra la giurisdizione di Serre e Rosarno;
- la famiglia Piromalli per il tratto rientrante nella giurisdizione di Gioia Tauro;
- le famiglie Alvaro-Tripodi, Laurendi, Bertuca per il restante tratto che da Palmi scende verso Reggio Calabria.

Ricostruendo geograficamente le tratte si può quindi affermare che i lavori vanno avanti sotto uno stretto controllo mafioso. Ovviamente questa «spartizione» non è estranea all'enorme ritardo accumulato dalle imprese per la realizzazione dell'opera moltiplicando i suoi costi. Si è così evidenziato una sorta di «pedaggio» istituzionalizzato, da casello a casello. Questo è quanto avviene alla fine degli anni Novanta.

Vent'anni prima, invece, all'epoca della costruzione dell'arteria, il meccanismo denunciato dal Questore Santillo era il seguente: la 'ndrangheta imponeva senza difficoltà alle grandi imprese affidatarie degli appalti – dagli atti processuali citati sono risultate coinvolte imprese quali la Asfalti Syntex S.p.A.; la Astaldi S.p.A.; l'A.T.I. Vidoni-Schiavo; la Condotte S.p.A.; la Impregilo S.p.A.; la Baldassini & Tognozzi S.p.A. – le funzioni di capo area o direttore dei lavori a soggetti graditi alle cosche, i quali si curavano di mediare le richieste mafiose e portarne l'esito a buon fine. Ecco di cosa si trattava:

- pagamento di una percentuale del 3% sull'importo complessivo dei lavori;
- assunzione di lavoratori in cambio del controllo sui loro comportamenti.

A riguardo risulta assai significativo che l'ordinanza di custodia cautelare abbia raggiunto tale Noè Vazzana, indagato per avere fatto parte dell'associazione mafiosa nella sua qualità di sindacalista, favorendo l'assunzione di lavoratori del luogo (legando così gli stessi all'associazione da un punto di vista clientelare in un'area ad altissimo indice di disoccupazione) e garantendo che sui cantieri di lavoro non vi fossero lotte o problemi sindacali;

- affidamento dei subappalti a proprie imprese o imprese da esse controllate, provvedendo all'emarginazione di quelle non disposte a rientrare nel quadro predefinito dalle cosche;
- imposizione di forniture di materiali di qualità inferiore a quella prevista dai contratti a fronte di prezzi invariati.

Questo meccanismo, che si è ripetuto del tutto identico a distanza di anni, funzionava alla perfezione in primo luogo per la sostanziale adesione delle imprese appaltanti che, dopo avere trattato e dopo avere accolto le richieste estorsive, si davano da fare per farvi fronte ricorrendo al sistema delle sovrafatturazioni o consentendo l'apertura dei cantieri in subappalto prima ancora che questi fossero autorizzati dalla stazione appaltante principale.

Ma ciò era possibile anche per la sostanziale assenza di controlli, quando non per la connivenza, da parte degli organi a essi preposti: in particolare il Responsabile Unico del procedimento e il direttore dei lavori, entrambi espressione della Stazione appaltante, in questo caso l'Anas, Ente Pubblico Economico (art. 1 dello Statuto D.P.R. 242 del 21.4.1995) che sarebbe stato obbligato al rigoroso rispetto della normativa in materia di lavori pubblici.

Ovviamente il problema delle infiltrazioni mafiose non è limitato all'autostrada A3, che pure ne rappresenta il caso emblematico, ma riguarda l'intero settore dei lavori pubblici in Calabria e nella fascia tirrenica del reggino in particolare, in cui le famiglie Piromalli-Molè e Bellocco-Pesce possono vantare una lunga tradizione.

Infatti, come riferito dalla Dac nella relazione citata, già nell'anno 2002 a conclusione di un'inchiesta della Procura della Repubblica di Reggio Calabria, era stata emessa ordinanza di custodia cautelare in carcere nei confronti di 43 indagati appartenenti alle cosche predette, per reati analoghi a quelli relativi ai lavori autostradali commessi in occasione di appalti pubblici per lavori interessanti l'intero versante tirrenico della provincia di Reggio.

Nel luglio 2007, a conclusione di un'altra inchiesta della Procura della Repubblica di Reggio Calabria, è stata eseguita ordinanza di custodia cautelare in carcere nei confronti di 16 indagati, appartenenti alla cosca Crea, storica alleata dei Piromalli di Gioia Tauro e degli Alvaro di Sinopoli, responsabili, tra l'altro, di avere ottenuto il controllo di appalti pubblici nel Comune di Rizziconi (RC) attraverso la diretta assegnazione di lavori a imprese riconducibili alla locale famiglia.

Che il problema sia diffuso e radicato e che nessuna parte del territorio calabrese ne sia esente è testimoniato, inoltre, da due inchieste condotte dalla Procura Distrettuale di Catanzaro e dalla Procura della Repubblica di Paola, che hanno portato al sequestro del porto di Amantea e al sequestro del porto di Cetraro, strutture entrambe controllate dalla 'ndrangheta e non solo per gli interessi sugli appalti riguardanti il loro ammodernamento ma anche per le opportunità che i porti, anche quelli a vocazione diportistica, offrono ormai per lo sviluppo dei traffici illeciti.[12]

Dalla situazione descritta emerge che le cosche, facendosi esse stesse imprenditrici, o controllando in modo diffuso e capillare il settore degli appalti e dei lavori pubblici e privati, condizionano il mercato del lavoro, segnato in Calabria da una debolezza strutturale, e di conseguenza esercitano un condizionamento sociale diffuso capace di incidere sui diversi livelli istituzionali e sulla Pubblica amministrazione.

---

12. Audizione del procuratore aggiunto di Catanzaro Mario Spagnuolo del 5 febbraio 2008.

1. Una holding criminale

Non si possono comprendere la forza della 'ndrangheta, la sua diffusione, il suo radicamento nella regione e l'espansione delle sue attività al Nord e all'estero, se non se ne coglie in profondità la natura di grande *holding* economico-criminale. La storia degli ultimi decenni ci consegna il corso di questa evoluzione da mafia arcaica a mafia imprenditrice a centrale finanziaria della globalizzazione criminale. Mantenendo sempre, come un tratto costante, il controllo maniacale, quasi ossessivo, del territorio e delle strutture sociali ed economiche a esso riferite.

Anni di trasformazioni e di interventi per lo sviluppo segnati da grandi flussi finanziari dello Stato e dell'Unione Europea destinati alla Calabria hanno accompagnato questo salto di qualità, la cui evoluzione si era già sperimentata, dopo i primi anni Settanta, col controllo degli appalti per l'autostrada Salerno-Reggio Calabria e l'insediamento industriale nell'area di Gioia Tauro.

Per questo vanno colti i nessi tra le dinamiche del processo di modernizzazione della Calabria e le ragioni del suo mancato sviluppo economico, produttivo, sociale e civile, e in questo doppio processo va individuato il ruolo che la 'ndrangheta ha avuto nel drenare risorse immense aggredendo, attraverso la permeabilità della macchina amministrativa e della politica, la cosa pubblica e il bene collettivo.

Il Rapporto Svimez sull'economia del Mezzogiorno presentato nel 2007, nella parte che riguarda la Calabria, presenta il quadro di una regione con un Pil pro-capite di 13.762 euro, pari al 54,6% del Pil pro-capite del Centro-nord Italia, un tasso di disoccupazione di circa il 13%, un'economia sommersa in crescita, pari al 27%, e lavoratori irregolari, ancora in crescita, per oltre 176.000 unità.

Dallo stesso Rapporto risulta che le imprese che pagano il «pizzo» nella regione sono 150.000, la metà del totale delle imprese esistenti nella regione, con una punta del 70% a Reggio Calabria.

Qualora corrispondessero alla realtà queste percentuali, basate su stime della Confesercenti, preoccuperebbero meno dei dati relativi ad altre regioni del Sud (secondo i dati, infatti, un terzo delle imprese soggette a estorsione in Italia ha sede in Sicilia, dove il 70% e talvolta l'80% delle imprese è vittima di estorsioni, mentre a Napoli, nel Barese e nel Foggiano la quota di imprese soggette a estorsione rispetto al totale è pari al 50%).

Ma è davvero così?

In realtà, la situazione è di gran lunga peggiore e ciò è confermato anche dall'analisi effettuata dai responsabili degli Uffici delle varie Procure della Repubblica sulla base delle risultanze giudiziarie.

Basta il dato dell'usura, che secondo il Rapporto Svimez fa segnare in Calabria la percentuale più alta di commercianti vittime del fenomeno in rapporto ai soggetti attivi: il 30% con 10.500 commercianti coinvolti in regione. Ma anche in questo caso, il quadro sembra notevolmente più preoccupante se si esaminano i dati emersi dalle indagini giudiziarie.[1]

Nell'ambito del distretto di Catanzaro «è praticamente inesistente l'impresa resistente alla criminalità organizzata».[2] Non esiste, se non in rarissimi casi, la denuncia spontanea all'Autorità giudiziaria da parte delle imprese vittime della criminalità organizzata semplicemente perché in alcuni distretti del territorio – come quello del vibonese – non esiste la categoria delle «imprese vittime». Quando non sono direttamente colluse, infatti, le imprese sono acquiescenti alle mire e agli interessi della criminalità

---

1. Come fornito dagli Uffici delle Procure distrettuali di Catanzaro e Reggio Calabria nel corso delle audizioni dinanzi a questa Commissione nonché dinanzi alla Prima Commissione Affari Costituzionali della Camera dei Deputati, che ha condotto un approfondimento specifico sulle questioni della sicurezza delle imprese rispetto alla criminalità organizzata nell'ambito dell'indagine conoscitiva «Sullo stato della sicurezza in Italia, sugli indirizzi della politica della sicurezza dei cittadini e sull'organizzazione e il funzionamento delle forze di polizia».
In particolare, audizione del procuratore nazionale antimafia e dei procuratori distrettuali antimafia presso le Procure della Repubblica della Campania, della Calabria, della Puglia e della Sicilia, del direttore della Direzione investigativa antimafia e di rappresentanti dell'Associazione nazionale magistrati, della Confindustria, della Confcommercio e della Confesercenti, in data 28 novembre 2007.
2. Commissione antimafia, audizione Dda di Catanzaro, 5 febbraio 2008.

organizzata[3] e ciò avviene in tutti gli ambiti economici: imprese agricole (specie nella sibaritide, nell'alto Ionio e nel crotonese), imprese turistiche (nel Vibonese e lungo la costa crotonese), imprese commerciali (nel lametino), grande distribuzione, ma soprattutto nell'edilizia, con un'egemonia mafiosa sull'intero ciclo del cemento.[4]

Nel settore turistico, il meccanismo viene svelato grazie a uno dei rari casi di collaborazione.

Il rappresentante di Parmatour S.p.A. in Calabria, con una denuncia all'Autorità giudiziaria,[5] rendeva note le sistematiche estorsioni in danno di alcuni villaggi-vacanze in Calabria, di proprietà della società. I villaggi turistici erano: il Triton Club di Sellia Marina, nonché il Sabbie Bianche e il Baia Paraelios di Parghelia (Vibo Valentia). Gli estorsori venivano indicati come incaricati o appartenenti, per il primo villaggio, alla famiglia Arena di Isola di Capo Rizzuto e per gli altri due alla cosca dei Mancuso. Nello specifico, l'operatore economico spiegava che gli Arena ritiravano annualmente la somma di 40.000 euro, oltre a imporre varie assunzioni di parenti e amici, mentre i Mancuso, preposti al

---

3. Come emerge dal processo «New Sunrise» l'incidenza della criminalità organizzata nell'economia è tale che gli imprenditori vibonesi lavorano solo se entrano in rapporto con la 'ndrangheta. Sicché è difficile distinguere imprenditori vittime da imprenditori collusi (Audizione dei magistrati della Dda di Catanzaro del 5 febbraio 2008).
4. Il dott. Scuderi della Direzione distrettuale antimafia di Catanzaro ha illustrato gli esiti di indagini che hanno disvelato un crescente interesse criminale nel lucroso settore dello smaltimento dei rifiuti, divenuto uno dei più appetibili ambiti di intervento per le organizzazioni mafiose.
5. Sfociata nel procedimento penale n. 5410/04 iscritto dalla Dda di Catanzaro.

controllo del «corretto» svolgimento delle attività, avrebbero lucrato un contributo del 10% sugli introiti.

Per inciso, in data 28 novembre 2007, il Gip di Catanzaro ha disposto il rinvio a giudizio dei tre incaricati dei villaggi turistici per favoreggiamento, aggravato dalla mafiosità, e per avere negato, nel corso delle indagini preliminari, di avere mai ricevuto pressioni estorsive.

Sempre legata allo «sviluppo turistico» della costa ionica reggina è l'ultima inchiesta, emersa mentre si conclude la stesura di questa relazione.

Ha portato, tra gli altri, all'arresto dell'assessore al Turismo e all'industria della Regione Calabria, Pasquale Tripodi.

L'indagine della Dda di Perugia ha svelato una rete di interessi criminali – dal settore energetico al turismo ai ricorrenti centri commerciali – distribuiti tra Umbria, Calabria e Sardegna.

Colpisce come i terreni scelti per gli investimenti dei propri capitali da parte delle mafie, in questo caso 'ndrangheta e camorra, siano sempre gli stessi, cioè quelli nei quali non solo si possono ripulire i capitali accumulati illecitamente – centri commerciali – ma anche quelli più utili a procacciare finanziamenti pubblici come gli insediamenti turistici. Colpisce dall'inchiesta l'attività degli uomini della 'ndrangheta e delle loro imprese per inserirsi nel settore dell'energia idroelettrica, uno dei campi vitali per lo sviluppo economico e sociale.

Dirà il prosieguo dell'azione giudiziaria delle dirette responsabilità penali dei singoli soggetti coinvolti. La cosa che, invece, non si può tacere riguarda la normalità delle relazioni tra un esponente politico di primo piano del governo regionale e personaggi a capo o diretta espressione delle cosche.

Anche in questo caso non manca il trasformismo: Tripodi è eletto consigliere regionale nelle liste dello Sdi nel 2000, ma nel 2005 è rieletto e diventa assessore con l'Udeur prima alle attività produttive e al personale e poi al turismo nella prima e seconda giunta Loiero.

L'elemento dell'inchiesta che invece va sottolineato è rappresentato dal voluto ritardo da parte dell'amministrazione regionale nella valutazione dei progetti da finanziare, per permettere a società ancora da costituire di vedere la luce e di partecipare, col favore del politico di turno e delle cosche, all'accaparramento dei finanziamenti pubblici.

È un meccanismo che purtroppo ricorre sovente, così come quello di non far conoscere i bandi per le gare pubbliche se non nelle ore precedenti la scadenza del termine per parteciparvi, favorendo così in modo apparentemente legale i pochi predestinati all'accesso al finanziamento grazie allo scambio politico-affaristico quando non direttamente mafioso.

2. Estorsioni e usura

L'incidenza della criminalità organizzata, già notevole di per sé, diviene devastante in una regione caratterizzata da un tessuto produttivo estremamente debole e da sempre dipendente dalla politica degli incentivi statali e dalla gestione dei flussi di finanziamento pubblico. Purtroppo, in questo contesto non si è mai espressa una reale volontà delle imprese di affrancarsi dalla forza pervasiva della mafia. Tanto è vero che, per quanto riguarda il pizzo «pagano tutti, commercianti, artigiani e imprese».[6] Il numero delle denunce è relativo, quasi inesistente e l'associazionismo è ancora debole; le associazioni antiracket sono, infatti, meno di dieci, a differenza di quanto accade in altre regioni martoriate dalla presenza della criminalità mafiosa.

Non è un caso che Confindustria di Reggio Calabria sia stata commissariata dai vertici nazionali rendendo ancora più macroscopica la differenza con la nuova direzione della Confindustria siciliana e con le iniziative da essa adottate.

Né si può tacere la vicenda che interessa l'imprenditore Raffaele Vrenna di Crotone il quale, rinviato a giudizio per concorso esterno e associazione mafiosa, ha chiesto al giudice il rito abbreviato ma, nel silenzio dei vertici regionali e nazionali dell'associazione, continua a mantenere la carica di presidente degli industriali di Crotone e di vicepresidente degli industriali della Calabria.

Nel reggino l'usura è diventata ormai una forma di riciclaggio indiretto delle risorse incamerate dalle organizzazioni mafiose attraverso il traffico di sostanze stupefacenti. Ma non bisogna sottovalutare anche la «funzione sociale» che purtroppo l'usura rappresenta su territori controllati dalle cosche e investiti da forti processi di crisi economica, con le conseguenti difficoltà delle piccole e medie imprese di restare sul mercato.

Il sistema di rapporti che lega la 'ndrangheta alle imprese appare così stretto e generalizzato da non rispar-

---

6. Ha affermato il procuratore della Repubblica Boemi nell'audizione a Reggio Calabria dinanzi alla Commissione Antimafia.

miare neanche le imprese nazionali, che in Calabria riescono ad aggiudicarsi gli appalti per le grandi opere pubbliche solo in quanto entrano o, peggio, contrattano di entrare nel «sistema di sicurezza» affidato alle famiglie mafiose che controllano il territorio e garantiscono l'impresa
da incidenti e danneggiamenti in cambio del 4-5% degli
introiti. Un vero e proprio «costo d'impresa» aggiuntivo.

Secondo le dichiarazioni di uno dei pochi collaboratori di giustizia vi sono stati casi in cui gli accordi tra cosche
e imprese non si limitavano a fissare l'importo dovuto dal-
l'impresa per essere garantita – nel caso specifico il 5% –
ma si occupavano anche di come la stessa potesse recuperare quella «spesa indeducibile». Spesso, tale «recupero»
avveniva con l'assegnazione di un piccolo appalto per la
realizzazione di un'opera di minor valore.

Casi come questo sono emblematici ma purtroppo non
isolati e dimostrano quanto i costi della criminalità, alla fine del ciclo, si riflettano sempre sulla collettività.[7]

3. Pubblica amministrazione

Alle tradizionali forme di arricchimento e di accumulazione dei profitti la 'ndrangheta coniuga da sempre il proprio

---

7. Ancora il dott. Scuderi della Dda, nella relazione inviata alla Commissione, illustra la costituzione di società «miste» caratterizzate dalla partecipazione dell'amministrazione pubblica e di imprese private a diretta copertura mafiosa, creando una vera e propria compenetrazione delle istituzioni locali con il potere criminale egemone sul territorio.

primato nella gestione dei grandi flussi di denaro pubblico.
Le modalità di accaparramento sono varie (appalti
pubblici, contributi, frodi comunitarie, truffe in danni di
enti etc.) ma hanno come dato comune il condizionamento degli amministratori locali e l'inquinamento della Pubblica amministrazione.

Le mani delle cosche sulle attività di carattere pubblico rappresentano così un dato costante che spesso assume
le forme di una gestione parallela della *res* pubblica, attraverso l'elezione di sindaci e amministratori locali compiacenti o il controllo degli apparati amministrativi, dai Comuni alle Asl, dalle Asi alle società miste per la gestione
dei servizi.

Fondamentale, per la natura stessa della 'ndrangheta,
è il controllo delle istituzioni al livello più immediato del
rapporto tra rappresentanti e rappresentati.

È il caso di molti Comuni. Un esempio emblematico è
rappresentato dal Comune di San Gregorio d'Ippona. Nel-
l'operazione «Rima» sono stati arrestati tre consiglieri comunali di opposizione, tra i quali l'ex sindaco. L'inchiesta
ha evidenziato la capacità della cosca Fiarè, satellite dei
Mancuso, di penetrare nella Pubblica amministrazione.
Ancora più inquietante è la vicenda del Comune di Seminara, situato tra la piana di Gioia Tauro e le falde dell'A-
spromonte. Alla vigilia delle elezioni amministrative del 27
maggio 2007 si tiene un incontro tra Rocco Gioffrè, capo
della 'ndrina di seminara e Antonio Pasquale Marafioti,
sindaco uscente del paese e dubbioso sulla sua ricandida-
tura. Come emerge da un'intercettazione, Gioffrè dice:
«Tu ti devi candidare perché qui decido io e la tua elezio-

ne è sicura. Possiamo contare su mille e cinquanta voti e sono più che sufficienti per vincere».

La previsione si rivela esatta con una precisione da fare invidia alle migliori società di sondaggi: la lista del sindaco Marafioti, una lista civica di centrodestra, vince con mille e cinquantotto voti.

I due non sanno che la conversazione è intercettata dai carabinieri e questo dialogo insieme a tanti altri elementi investigativi, il 17 novembre del 2007 porterà in carcere i due interlocutori e il vicesindaco, Mariano Battaglia, l'ex sindaco al tempo del primo scioglimento del comune nel 1991, Carmelo Buggè, e l'assessore Adriano Gioffrè, nipote del boss.

L'inchiesta coordinata dalla Dda di Reggio Calabria ha svelato il controllo completo da parte della cosca Gioffrè sul comune: dalle attività economiche gestite a livello locale alle concessioni comunali, dagli appalti ai progetti di finanziamento con fondi regionali ed europei. Come se non bastasse il «sistema» si estende oltre i confini del comune. Il sindaco Marafioti è anche il presidente del Pit 19 della Calabria (Consorzio di 10 Comuni tutti più grandi di Seminara, amministrati dai più diversi schieramenti politici, dal centrodestra al centrosinistra) e dispone di fondi per 20 milioni di euro. Il vicesindaco Battaglia, invece, è il presidente del Consorzio intercomunale «Impegno giovani» che avrebbe il compito della diffusione della cultura della legalità nelle scuole, con un fondo di 850.000 euro tratti dal Pon-Sicurezza del ministero dell'Interno.

I clan, secondo i magistrati, non possono perdere occasioni così ghiotte per ingrossare le proprie tasche: alle elezioni del 2007 avvicinano uno a uno gli elettori, pagano il viaggio degli emigrati per il voto, scelgono il segretario della I Sezione elettorale che ha il compito del riepilogo delle preferenze.

E che dire del Comune di Filandari dove il controllo del territorio arriva «al punto da imporre le tasse sui mezzi di trasporto che ne attraversano le strade.»[8]

Sono solo alcuni esempi di una situazione molto più diffusa di quanto si possa immaginare e di quanto gli stessi media non raccontino.

Ma in Calabria si arriva anche al paradosso.

Il rampollo della famiglia mafiosa più importante della Piana, (sentenza del Tribunale civile di Palmi, del 4 luglio 2007) Gioacchino Piromalli, di 38 anni, è condannato al risarcimento di 10 milioni di euro a favore delle amministrazioni comunali di Gioia Tauro, Rosarno e San Ferdinando di Rosarno. È una sentenza storica frutto della costituzione di parte civile di queste amministrazioni al momento di avvio del processo «Porto».

Dopo la condanna Piromalli, che è avvocato, dichiara di essere nulla tenente e di poter procedere al risarcimento solo attraverso prestazioni professionali.

Il Tribunale di sorveglianza, come se nulla fosse e come se non conoscesse la reale identità del soggetto, gira la richiesta alle amministrazioni comunali interessate che concordano di accettare il risarcimento come proposto dal Piromalli, rimettendo comunque ogni decisione al Tribunale. La vicenda è ora al vaglio della Procura di Reggio

---

8. Dottoressa Marisa Manzini, audizione Dda Catanzaro, 5 febbraio 2008.

Calabria che ha inquisito i tre sindaci e il vicesindaco di Gioia Tauro per associazione mafiosa «per aver compiuto un atto non di loro competenza per un tipo di risarcimento non previsto dalla legge».

Al di là delle responsabilità penali resta da chiedere come sia stato possibile che tutti i soggetti, Tribunale di sorveglianza e amministrazioni comunali, abbiano considerato tutto ciò normale, rendendosi protagonisti di una vicenda che ha piegato le istituzioni all'arroganza della 'ndrangheta.

In questo contesto diffuso di degrado politico e della Pubblica amministrazione purtroppo non sono molti i Consigli comunali calabresi sciolti per infiltrazione mafiosa e sarebbe utile analizzarne approfonditamente le ragioni.

Eppure la storia dello scioglimento dei Comuni, in un certo senso, comincia proprio nella Piana di Gioia Tauro.

È il 3 maggio 1991, i telegiornali danno notizia di quella che verrà ricordata come la «strage di Taurianova». Nella cittadina vengono uccise 4 persone. A una di esse viene decapitata la testa e lanciata in aria diventa oggetto di un macabro tiro al bersaglio. Il fatto conquista le prime pagine di tutti i giornali italiani e stranieri. Il Governo dell'epoca, nell'ottica dell'emergenza che ha storicamente contraddistinto la storia altalenante della legislazione antimafia, emana il decreto (convertito in legge nel luglio del 1991) con il quale si prevede la possibilità di procedere allo scioglimento dei Consigli comunali o provinciali sospettati di essere infiltrati o inquinati dalle cosche mafiose.

Da allora in Italia sono stati sciolti 172 Consigli comunali, dei quali 38 in Calabria: 23 in provincia di Reggio, 7 in provincia di Catanzaro, 5 in provincia di Vibo Valentia, 3 in provincia di Crotone. A distanza di alcuni anni, per 3 Comuni – Melito Porto Salvo (RC), Lamezia Terme (CZ) e Roccaforte del Greco (RC) – si è reso necessario ricorrere a un secondo scioglimento. Questo dimostra come la legislazione vigente non è completamente efficace nel recidere i legami tra organizzazioni mafiose ed esponenti del mondo politico e come lo scioglimento non abbia sempre rappresentato e non rappresenti tuttora un'occasione di bonifica della macchina amministrativa che spesso, anche a Consigli comunali sciolti, continua a garantire le stesse logiche di governo del territorio, gli stessi interessi e gli stessi contatti con i boss.

Alcuni Comuni, tra il 2004 e il 2005, hanno fatto ricorso al Tar o al Consiglio di Stato per impugnare il provvedimento di scioglimento e per 5 di essi il ricorso è stato accolto. Si tratta dei Comuni di Santo Andrea Apostolo sullo Ionio, Botricello, Cosoleto, Monasterace, Africo e Strongoli.

Osservando le dimensioni dei Comuni sciolti, Lamezia Terme, con i suoi 70 mila abitanti, è l'unico di dimensioni elevate e dopo due scioglimenti (30 settembre 1991 e 5 novembre 2002) ha intrapreso la strada di una difficile ricostruzione del tessuto democratico. Seguono altri 2 comuni con una popolazione inferiore ai 20 mila abitanti, Melito Porto Salvo (30 settembre 1991 e 28 febbraio 1996) e Roccaforte del Greco (10 febbraio 1996 e 27 ottobre 2003), tutti in provincia di Reggio Calabria. Gli altri scioglimenti hanno riguardato comuni non superiori a 5 mila abitanti quando non di piccolissime dimensioni come Marcedusa, Calanna e Camini, inferiori ai mille abitanti.

A conferma della gravissima situazione esistente in alcune realtà, il procuratore nazionale antimafia Piero Grasso, nell'audizione del 7 febbraio 2007, ha affermato: «in certi paesi come Africo, Platì e San Luca, è lo Stato che deve cercare di infiltrarsi», sottolineando così la sottrazione di intere aree del territorio calabrese al governo e al controllo delle istituzioni repubblicane.

A tale proposito spiega il prefetto di Reggio Calabria: «segni evidenti e tipici del governo del territorio da parte di amministratori organici alla mafia o collusi e dunque caratteristiche comuni alle amministrazioni sotto il controllo mafioso sono costituiti inoltre dall'assenza di piani regolatori, dell'assoluta inefficienza dei servizi di polizia municipali, da gravi disservizi nella raccolta e nello smaltimento dei rifiuti, dal dilagante e distruttivo abusivismo edilizio, da gravi carenze nella manutenzione di infrastrutture primarie (strade, scuole, asili), da assunzioni clientelari di personale, da anomalie nell'affidamento di appalti e servizi pubblici, ma, soprattutto, dalle drammatiche condizioni di dissesto finanziario».[9]

4. Finanziamenti europei

In Calabria e nel suo sistema economico-imprenditoriale tutto dipende dal sostegno e dai finanziamenti pubblici: dalle imprese industriali all'agricoltura, dalla pesca all'artigianato al turismo. Non c'è settore che non si alimenti di

---

9. Audizione prefetto di Reggio Calabria, 24.7.2007.

«contributi» statali o europei e non c'è impresa nella o sulla quale la 'ndrangheta non eserciti un suo ruolo e una sua funzione di intermediazione quando non di gestione diretta.

Il carattere totalizzante delle attività illecite si riverbera negativamente sulla fragile economia calabrese che già soffre di un tasso di povertà del 25% della sua popolazione. Un'economia a più facce, se si pensa che nel 2005 il numero degli ipermercati è cresciuto di 7 unità e che nei 41 istituti di credito operanti nelle province calabresi con 530 sportelli risultano depositati, alla fine del 2006, 10.874 milioni di euro e 171 milioni di azioni.[10]

L'utilizzo di fondi pubblici erogati dallo Stato e dall'Unione Europea è storicamente uno dei canali privilegiati di finanziamento e riciclaggio della 'ndrangheta.

Originariamente il fenomeno nasce come penetrazione mafiosa nel settore degli appalti pubblici, principalmente attraverso il sistema dei subappalti: con essi l'impresa criminale, avvalendosi del suo potere di convincimento con metodi violenti e sfruttando vari meccanismi di riduzione dei costi di produzione (scarsa qualità dei materiali, ridotto costo della manodopera, facilità di accesso alla liquidità, evasione fiscale e contributiva), è riuscita a garantirsi un facile canale di accumulazione e riciclaggio dei proventi delle attività illecite, nonché a permeare facilmente il settore della Pubblica amministrazione.

---

10. Audizione del procuratore aggiunto della Direzione nazionale antimafia, dott. Emilio Ledonne dinanzi alla Commissione, 4.12.2007.

I dati Istat relativi al totale delle denunce per le quali l'Autorità giudiziaria ha iniziato l'azione penale per malversazione a danno dello Stato, truffa aggravata per il conseguimento di erogazioni pubbliche, indebita percezione di erogazioni a danno dello Stato mostrano un incremento costante.

A livello nazionale risultano denunciati 28 casi di malversazione a danno dello Stato nel 2004 e 35 nel 2005; le ipotesi denunciate di indebita percezione di erogazioni a danno dello Stato sono state 421 nel 2004 e 364 nel 2005, mentre le truffe aggravate per il conseguimento di erogazioni pubbliche sono passate dalle 910 del 2004 alle 1070 del 2005.

Ma guardando alla specifica situazione della Calabria e alla percezione indebita di aiuti da parte di imprese collegate direttamente o indirettamente alla 'ndrangheta, il fenomeno emerge in maniera assolutamente allarmante dai primi anni Novanta in poi.

Da allora, grazie a leggi e programmi di finanziamento, è significativamente aumentata la quantità di risorse pubbliche a disposizione del sistema delle imprese:[11]

---

11. Nel gennaio 2008 la Procura della Repubblica di Palmi, ha richiesto e ottenuto dal Gip del Tribunale il sequestro preventivo finalizzato poi alla confisca per equivalente del prezzo del reato dei beni mobili e immobili realizzati con i finanziamenti agevolati di cui alla legge 488/92 per un ammontare complessivo pari a € 5.708.869. In esecuzione del relativo decreto emesso dal giudice, la Guardia di Finanza ha proceduto al sequestro preventivo dei beni immobili e mobili realizzati con le provvidenze agevolative dando però facoltà all'interessato di proseguire l'esercizio delle attività commerciali.
Nel maggio 2006 veniva operato il sequestro preventivo di due società operanti nella zona industriale di Corigliano Calabro che, secondo quanto emerso dall'attività d'indagine della Guardia di Finanza, avrebbero

- la Legge 488/1992;[12]
- Quadro Comunitario di Sostegno (QCS) per il periodo 1994-1999;

---

indebitamente ottenuto contributi pubblici ai sensi della Legge 488/92 • Settore Industria. Gli amministratori della società avrebbero simulato gli apporti di capitale richiesti dalla normativa agevolativa quale condizione per l'erogazione del contributo attraverso un vorticoso giro di operazioni bancarie realizzate entro un ristrettissimo arco temporale, in prossimità del termine ultimo per il completamento dell'investimento agevolato. Per l'effettuazione di tali operazioni, verosimilmente, la società si sarebbe avvalsa di compiacenti fornitori che simulavano l'incasso di operazioni commerciali fittizie. Inoltre, hanno prodotto false dichiarazioni in ordine allo stato d'avanzamento lavori e all'ultimazione degli stessi. In tale contesto, sarebbe stato simulato l'acquisto di un opificio di una diversa società, ubicata presso lo stesso sito produttivo già oggetto dell'agevolazione richiesta dalla prima società. La seconda società, dal suo canto, ha nascosto alla banca concessionaria la variazione al progetto industriale conseguente alla «apparente» cessione dell'immobile alla prima società, richiedendo l'erogazione delle quote di contribuzione e dimostrando, solo cartolarmente, il rispetto delle condizioni richieste dal decreto di concessione.

12. Numerose sono infatti le operazioni della Guardia di Finanza relative a truffe nel conseguimento di erogazioni grazie alla Legge 488/92. Tra le principali del 2005 si segnalano le seguenti:
• a marzo il Nucleo Provinciale PT Cosenza della Guardia di Finanza ha denunciato quattro soggetti per aver indebitamente percepito finanziamenti ex legge 488/92 mediante l'utilizzo delle fatture inesistenti e falsa documentazione;
• a maggio il Nucleo Provinciale PT di Vibo Valentia della Guardia di Finanza ha denunciato otto persone in quanto ha accertato indebite percezioni di finanziamenti ex Legge 488/92 attraverso la contraffazione di documenti contabili;
• a giugno la Compagnia della Guardia di Finanza di Lamezia Terme ha scoperto una truffa per circa due milioni di euro in relazione ai finanziamenti di cui alla Legge 488/92 che ha portato all'emissione di quattro avvisi di garanzia;

- programma comunitario «Agenda 2000»;
- e oggi il nuovo QCS 2007-2013.

• a giugno la Guardia di Finanza di Formia ha scoperto a Rende (CS) una maxi truffa a seguito della quale l'organizzazione criminale ha incassato circa 12 milioni di euro senza investirli nel progetto imprenditoriale;
• a settembre la Compagnia della Guardia di Finanza di Locri ha concluso un'operazione finalizzata alla verifica del corretto utilizzo delle somme percepite dalle imprese beneficiarie in particolar modo nei Comuni di Locri, Siderno, Gerace, Portignola, Benestare, Bovalino, Caulonia, Grotteria e Stignano, accertando l'indebita percezione di contributi per circa 700.000 euro da parte di imprenditori e impedendo, nel contempo, l'erogazione di altri 600.000 euro di finanziamenti illecitamente richiesti. L'operazione ha portato alla denuncia di nove persone, titolari delle imprese beneficiarie, per i reati di truffa ai danni dello Stato e malversazione;
• a settembre la Guardia di Finanza di Lamezia Terme, in tre distinte operazioni, ha scoperto truffe per 800.000 euro ai danni dello Stato ex Legge 488/92 mediante l'emissione di fatture false, denunciando sette persone. Infine, a Ionadi (VV), la Guardia di Finanza ha sequestrato uno stabilimento industriale dal valore di due milioni e mezzo di euro in seguito ad una truffa ai danni dello Stato in quanto i titolari avrebbero percepito indebitamente finanziamenti di cui alla Legge 488/92.
• la Compagnia della Guardia di Finanza di Cosenza in data 4.1.2006 procedeva all'arresto di tre persone, responsabili di aver percepito indebitamente, emettendo fatture false, 10 milioni di euro di contributi ex Legge 488/92 per la realizzazione di un impianto produttivo.
Nel 2007 il solo comando provinciale di Reggio Calabria della Guardia di Finanza ha eseguito, nel settore delle indebite percezioni di pubblici finanziamenti, 47 interventi riscontrando 72 violazioni, accertati contributi comunitari e nazionali indebitamente percepiti per circa 38 milioni di euro e constatati, altresì, circa 12 milioni di euro di contributi indebitamente richiesti, concessi ma non ancora erogati per i quali sono state attivate le procedure di revoca presso il ministero delle Attività produttive di Roma. Al riguardo, sono state denunciate, alle Autorità giudiziarie del distretto, 77 persone fisiche e giuridiche responsabili degli illeciti, di cui 6 in stato di arresto.

I volumi di risorse pubbliche trasferite in Calabria sono particolarmente elevati e di assoluto interesse per la 'ndrangheta, sempre più proiettata ad accaparrarsi finanziamenti pubblici e rinsaldare rapporti con pezzi del mondo politico e imprenditoriale.

Per fornire un'indicazione quantitativa delle risorse trasferite in Calabria, si pensi che nel periodo 2000-2006 era prevista un'utilizzazione di risorse pubbliche a valere sul Programma operativo regionale (Por) per € 4.019.295.000. Tali risorse, secondo i documenti di programmazione, sono state ripartite su sei Assi prioritari,[13] corrispondenti alle grandi aree di intervento che il Por assume come riferimento nel definire le scelte di investimento da realizzare nel periodo di programmazione. All'interno di ciascun asse, ognuno dei quali ripartito in misure, sono i soggetti attuatori (in primo luogo l'amministrazione regionale e le amministrazioni locali) a predisporre dei bandi pubblici con i quali vengono concessi gli aiuti alle imprese. I settori sono i più disparati: dall'industria, al commercio, all'agricoltura, al turismo, alla formazione professionale, alla pesca.

---

13. Asse I – Valorizzazione delle risorse naturali e ambientali (Risorse Naturali);
Asse II – Valorizzazione delle risorse culturali e storiche (Risorse Culturali);
Asse III – Valorizzazione delle risorse umane (Risorse Umane);
Asse IV – Potenziamento e valorizzazione dei sistemi locali di sviluppo (Sistemi Locali di Sviluppo);
Asse V – Miglioramento della qualità delle città, delle istituzioni locali e della vita associata (Città);
Asse VI – Rafforzamento delle reti e nodi di servizio (Reti e Nodi di Servizio).

Analogamente appare quantitativamente significativo il quadro finanziario per il successivo periodo 2007-2013, con una previsione per la sola Calabria di € 1.499.120.026 da parte del Fondo Europeo di Sviluppo Regionale (Fesr), € 430.249.377 dal Fondo Sociale Europeo (Fse),[14] oltre alle risorse per l'agricoltura individuate in complessivi € 1.084.071.304.[15]

Rispetto a tali trasferimenti va ricordato che nel 2005 le irregolarità e le frodi al bilancio UE comunicate con riferimento alla Calabria assommavano a complessivi € 14.475.260, di cui € 13.135.878 ai danni del Fesr, € 752.792, ai danni del Fse, € 493.548 ai danni del Feoga ed € 93.041, ai danni dello Sfop.

Nel 1° semestre 2006 si è poi registrato un incremento considerevole delle irregolarità e delle frodi nelle Regioni meridionali. In Calabria, in particolare, le frodi al bilancio UE nei primi sei mesi del 2006 hanno raggiunto la cifra di € 10.881.611, quasi interamente a carico del Fesr (€ 10.660.627).[16]

A fronte di questo scenario, le disfunzioni delle amministrazioni pubbliche territoriali, aggravate da un più ele-

---

14. Fonte: «Quadro Strategico Nazionale per la politica regionale di sviluppo 2007-2013», giugno 2007.
15. Fonte: «Programma di Sviluppo Rurale della Regione Calabria 2007-2013», pag. 212.
16. Fonte: Corte dei Conti, Sezione affari comunitari, deliberazione 2/2007 del 21 febbraio 2007, relazione concernente «Irregolarità e frodi in materia di Fondi strutturali con particolare riguardo al Fesr nelle Regioni Obiettivo 1».

vato livello di corruzione rispetto ad altre aree del Paese, e dalla carenza totale di controlli interni al procedimento di erogazione, costituiscono la leva per l'infiltrazione mafiosa nella stessa attività di gestione dei fondi, fenomeno addirittura più preoccupante dell'acquisizione indebita da parte di imprese legate all'organizzazione.

In effetti il livello di pericolosità dell'organizzazione criminale appare direttamente proporzionale alla sua capacità di gestire, attraverso propri affiliati o sodali «esterni», la stessa erogazione dei fondi pubblici, affidata a strutture amministrative regionali e locali. Ne sono indicatori la maggiore permeabilità delle amministrazioni territoriali alle infiltrazioni di tipo mafioso, con la presenza di affiliati alle cosche e l'elevato numero di reati di pubblici ufficiali contro la loro stessa amministrazione, legati anche a denunce parallele per il reato di cui all'art. 416-*bis* del codice penale.

A tal proposito, nell'audizione dinanzi alla Commissione in data 7 febbraio 2007, il procuratore nazionale antimafia Piero Grasso ha dichiarato che «per quanto riguarda la Procura di Reggio Calabria, il dato registra 5 procedimenti penali a carico di consiglieri regionali per violazione della Legge n. 488 del 1992 e 5 procedimenti penali a carico di consiglieri regionali per reati comuni, comunque diversi dai reati di mafia». Le indagini condotte «…hanno portato anche all'arresto di dieci esponenti della cosca Crea di Rizziconi, in provincia di Reggio Calabria, ritenuti responsabili di associazione mafiosa, truffa e quant'altro, nell'ambito della Legge n. 488. Come abbiamo visto, anche dei consiglieri regionali sono indagati per questo reato.»

Quando la caduta di credibilità della Pubblica amministrazione dovuta a carenze e inefficienze croniche si coniuga con l'aggressività dei sodalizi criminali che controllano in maniera maniacale il territorio, le organizzazioni mafiose giungono a «occupare» il tassello di Stato più vicino ai cittadini, determinando la morte delle regole di convivenza civile e del principio di legalità democratica e repubblicana.

5. Una spesa senza controllo

Nella relazione di inaugurazione dell'anno giudiziario 2007 della Corte d'Appello di Catanzaro, si ricordava come «le risultanze investigative acquisite hanno evidenziato la percezione indebita di contributi statali e comunitari secondo artifici e raggiri sostanzialmente sempre analoghi, che possono così sintetizzarsi: falsità delle dichiarazioni attestanti l'effettivo stato di avanzamento dei lavori; carattere fittizio delle fatture presentate a comprovare i costi sostenuti per i lavori dichiarati; falsi contabili per fare apparire eseguiti aumenti di capitali in realtà mai avvenuti; presentazione di indebiti rimborsi Iva agli Uffici finanziari competenti.»[17]

Analogamente, nella relazione di inaugurazione dell'anno giudiziario 2007 presso la Corte dei Conti, è stato evidenziato come «nel corso del 2006 hanno assunto rilievo i giudizi di responsabilità amministrativa relativi a danni era-

---

17. Relazione del presidente della Corte d'Appello di Catanzaro, dott. Pietro Antonio Sirena.

riali connessi a indebita o irregolare percezione di fondi comunitari o a mancato recupero di contributi erogati nell'ambito dei programmi di interesse comunitario; il fenomeno in questione nella Regione Calabria è estremamente esteso con una percentuale di molto superiore alla media nazionale.

«Attraverso meccanismi illeciti e truffaldini, importi particolarmente elevati di fondi della Comunità Europea vengono distratti dalla loro destinazione originaria, ovvero vengono concessi a favore di attività imprenditoriali inesistenti con grave nocumento per l'economia e per l'imprenditoria calabrese.»[18]

Peraltro, l'esistenza di numerose frodi ai danni del pubblico erario, perpetrate tanto da singole imprese quanto da imprese stabilmente legate a organizzazioni criminali e consorterie di 'ndrangheta, è stata segnalata ripetutamente dalla Corte dei Conti. La normalità di questo meccanismo corruttivo è possibile anche per l'assoluta insufficienza dei vigenti sistemi di prevenzione di tali reati, senza che, tuttavia, negli anni in cui sono arrivati questi fiumi di denaro pubblico nessuna amministrazione, locale e regionale, di qualunque segno e orientamento politico, si sia fatta carico di rafforzare gli strumenti di controllo.

In particolare, la Sezione Affari Comunitari della Corte dei Conti ha approvato, con deliberazione 2/2007 del 21 febbraio 2007, una relazione concernente «Irregolarità e frodi in materia di Fondi strutturali con particolare ri-

---

18. Relazione del procuratore regionale della Corte dei Conti, dott.ssa Cristina Astrali.

guardo al Fesr nelle Regioni Obiettivo 1» che dedica specifica attenzione al fenomeno delle frodi in Calabria. Inoltre, la Sezione regionale di controllo della Corte dei Conti per la Calabria ha approvato con deliberazione del 27 giugno 2006, una «Relazione sul funzionamento dei controlli regionali sui fondi comunitari (Por Calabria)».

Tali relazioni, che hanno tenuto conto dei dati acquisiti negli anni 2005 e 2006, ma che sono temporalmente riferite a una più lunga serie storica, hanno evidenziato come il problema fondamentale sia rappresentato da carenza, inefficienza e insufficienza di controlli sulle erogazioni, dall'approssimazione nella formazione dei bandi e nella stessa gestione della procedura comparativa.[19] Tali caren-

---

19. Con riferimento alle frodi ai danni dell'erario in Calabria, rileva la Corte dei Conti, Sezione affari comunitari, come: «Con riferimento alle modalità di svolgimento degli illeciti segnalati – (ricollegabili sia alla programmazione 1994-1999 che a quella 2000-2006), che si presentano di notevole rilevanza sia per gli importi interessati e per il loro numero che per le modalità di realizzazione – si può osservare che la fase dell'istruttoria e, in particolare, il vaglio preventivo della domanda di partecipazione e dei relativi requisiti, così pure quella antecedente ai pagamenti, appaiono i momenti procedimentali più esposti e ai quali, in termine di valutazione dei rischi, sarebbe opportuno dedicare maggiore attenzione prevedendo controlli mirati su tali fasi, anche al fine di contrastare più efficacemente le pratiche illegali. In tale ambito, particolarmente rischioso è il ricorso all'autocertificazione che dovrebbe essere limitata ai casi in cui la dichiarazione riguardi requisiti essenziali, qualificazioni professionali e finanziarie degli imprenditori, al fine di evitare che l'agevolazione più che a finanziare lo sviluppo di un'attività imprenditoriale, con la connessa circolazione di occupazione e risorse, sia servita a fornire mezzi di sostentamento a società o imprenditori richiedenti tutt'altro che solidi e qualificati».

ze dipendono fondamentalmente dall'assenza di una normativa nazionale e comunitaria che affidi a organismi pubblici e terzi le procedure di controllo.

A livello nazionale, con la modifica del Titolo V della Costituzione nel 2001 sono stati soppressi i controlli preventivi di legittimità, affidati ad appositi organi statali e regionali, rispettivamente sugli atti delle Regioni e degli enti locali, senza che sia stata predisposta una rete di controlli nuova ed efficiente. Il risultato è stato quello di rendere permeabili ed esposte alle infiltrazioni mafiose le procedure di aggiudicazione poste in essere dagli enti territoriali, con atti praticamente esenti da un controllo di legalità, prima che di legittimità.

Altrettanto inutili si sono rivelati i controlli interni alle amministrazioni, cui il legislatore, già con le riforme «Bassanini» del 1997, aveva demandato la verifica della legittimità dell'attività amministrativa.

Infatti, i controlli interni prevedono che sia l'amministrazione controllata a nominare e retribuire i controllori. Come è evidente un meccanismo simile non demarca alcun confine tra controllore e controllati, anzi è proprio questo sistema che favorisce le sistematiche appropriazioni di risorse pubbliche da parte delle cosche.

Analogamente inutili e dispendiosi si sono rivelati i controlli sulle procedure di aggiudicazione dei fondi comunitari e della Legge 488, affidati, con notevole esborso di risorse pubbliche, a società private esterne, retribuite sempre dalla stessa Regione Calabria.

È possibile che tutto ciò avvenga senza una precisa volontà politica tesa a rendere la gestione dei flussi meno rigida e trasparente?

Anche a monte delle procedure di aggiudicazione si evidenziano lacune nel sistema di gestione amministrativa che, sempre più spesso, consentono a soggetti spregiudicati, anche inseriti in compagini di 'ndrangheta, di accaparrarsi fondi.

In questo contesto si rivela particolarmente vulnerabile, ma si dovrebbe definire una «beffa istituzionalizzata», il meccanismo delle autocertificazioni che vengono richieste alle imprese, sia per quanto riguarda i propri dati di affidabilità e serietà reddituale e fiscale, sia per quanto riguarda le garanzie patrimoniali e reali, sia, infine, per quel che riguarda la stessa fattibilità dell'investimento proposto. Risulta infatti che i procedimenti di aggiudicazione si basano esclusivamente su dichiarazioni provenienti dalle imprese proponenti, senza che vengano svolti, nemmeno a campione, approfondimenti e verifiche da parte delle amministrazioni aggiudicatrici, volte ad accertare, almeno, il possesso dei requisiti e delle garanzie minime richieste dai bandi di gara.

Addirittura, nei procedimenti di concessione di finanziamenti pubblici non risultano nemmeno applicate le disposizioni in materia di verifica preliminare dei requisiti delle imprese, previste dagli artt. 38 e segg. e 48 del Codice degli appalti (d. lgs. 163/2006). Infatti i regolamenti comunitari lasciano alla discrezionalità delle Regioni il compito di disciplinare i procedimenti di controllo sull'erogazione dei fondi e sulla formazione dei bandi di gara, con il risultato che la Regione Calabria e il ministero dello Sviluppo Economico, rispettivamente gestori dei fondi UE e di quelli previsti dalla Legge 488, non ritengono di applicare le regole del Codice degli appalti anche alle procedure a evidenza pubblica per la concessione di finanziamenti e aiuti. E tutto questo in una regione dove l'esposizione alle infiltrazioni mafiose consiglierebbe un rigore e una rigidità dei meccanismi di trasparenza amministrativa tali da mettere al riparo la politica e la Pubblica amministrazione da ogni forma di discrezionalità equivoca o condizionabile.

In questo senso anche la carenza di una normativa statale di coordinamento appare assolutamente ingiustificata a fronte di un livello di pericolosità delle organizzazioni criminali che si manifesta nell'accaparramento sistematico di risorse pubbliche in danno al bilancio statale e comunitario.

6. Il primato nelle frodi

Tutto ciò in Calabria determina una potenzialità criminogena nell'intera gestione dei flussi di finanziamento europeo, offrendo alle mafie e alle loro menti finanziarie l'opportunità di intercettare risorse pubbliche e di condizionare e corrompere la Pubblica amministrazione.

Parallelamente il livello di contrasto alle penetrazioni criminali nel settore dei finanziamenti statali e comunitari alle imprese pare risentire eccessivamente della lentezza dei processi penali, cui consegue una sostanziale impossibilità di procedere al recupero delle somme da parte dello Stato, vista la velocità degli spostamenti delle somme indebitamente percepite attraverso i circuiti bancari internazionali da un capo all'altro del mondo.

Si tratta, a questo proposito, di un fenomeno ben noto a livello nazionale, per il quale all'indomani dell'avvio delle verifiche da parte degli organi di Polizia (ben più raramente da parte di quelli di controllo dell'amministrazione erogante) e molto prima di giungere a un'eventuale sentenza di condanna, le somme percepite da parte dell'imprenditore, attraverso frodi e meccanismi corruttivi, vengono immediatamente ritrasferite nella sua disponibilità personale, di suoi familiari o prestanomi.

Del resto, il sistema bancario calabrese non può essere ritenuto immune da una certa contiguità con le centrali dell'appropriazione indebita di finanziamenti, un vero e proprio circuito finanziario pubblico-privato parallelo. Infatti, a monte, la presentazione della richiesta di finanziamento da parte dell'impresa è sempre fondata su dichiarazioni generiche rese da istituti di credito del luogo, con le quali si attesta la solidità patrimoniale dell'imprenditore, dell'impresa o di suoi fideiussori. Tali dichiarazioni – prive di validità giuridica ai fini della costituzione di una garanzia in favore dell'amministrazione erogatrice – sono praticamente una costante di tutte le frodi ai danni del bilancio dello Stato e dell'UE da oltre un quindicennio: è grave che il sistema bancario, sebbene più volte interessato dall'Autorità giudiziaria, non abbia mai inteso spezzare questo legame perverso con l'imprenditoria criminale o corrotta, considerato, comunque, che dai sistemi di transito della liquidità sui conti correnti «di lavoro» delle imprese esso trae un indubbio profitto.

Dall'insieme di questi elementi emerge un peggioramento della situazione relativa al 2007, secondo dati ufficiali forniti dalla sola Guardia di Finanza riferiti alle frodi ai danni dello Stato e dell'Unione Europea.

Su un totale nazionale di 259 violazioni riscontrate per frodi a danno del bilancio nazionale, ben il 37% sono avvenute in Calabria.

Su un totale di indebite percezioni ai danni del bilancio statale (Legge 488) di € 208.328.901, ben € 49.290.916 (il 23,66%) sarebbero avvenute in Calabria.

Altrettanto grave è la situazione se riferita alle frodi comunitarie, sia nel settore agricolo, che dei fondi strutturali: su un totale di 923 violazioni riscontrate dalla sola Guardia di Finanza, ben 192 hanno riguardato la Calabria, con € 75.379.513 di indebite percezioni su un totale nazionale di € 221.186.440.[20]

---

20. Il raffronto con i dati complessivi dell'intera Unione Europea è allarmante.

Secondo l'Ufficio europeo per la lotta antifrode (Olaf): «Per il periodo di programmazione 1994-99, gli Stati membri hanno comunicato 11.573 casi di irregolarità per un'incidenza finanziaria di 1,452 miliardi di euro sul contributo comunitario.

Una chiusura definitiva a livello di Commissione ha interessato 5488 di questi casi con deduzione del relativo importo, pari a 600 milioni di euro, all'atto del pagamento finale. Inoltre per 2016 casi relativi allo stesso periodo, aventi un'incidenza finanziaria di 173 milioni di euro, gli Stati membri hanno informato la Commissione della conclusione dei procedimenti amministrativi o giudiziari a livello nazionale. I servizi della Commissione hanno avviato i lavori di riconciliazione per chiudere questi casi.

Per il periodo di programmazione 2000-2006, gli Stati membri hanno comunicato ad oggi 8733 casi di irregolarità per un'incidenza finanziaria pari a 1,156 miliardi di euro sul contributo comunitario.

Gli Stati membri hanno informato la Commissione che sono stati

L'analisi dei dati investigativi e giudiziari fornisce un quadro di preoccupante allarme per l'inarrestabile emorragia di contributi pubblici intercettati dalle cosche. Per quanto concerne i contributi previsti dalla Legge 488/92, ne hanno beneficiato 1125 società operanti nelle varie province calabresi.

Nel periodo compreso tra il 2000 e il 2003, l'ammontare complessivo dei contributi erogati è stato di 422 milioni di euro e in tutti gli otto circondari del distretto di Corte d'Appello di Catanzaro sono stati iscritti procedimenti penali per il delitto di truffa aggravata.

7. Un caso emblematico

È utile analizzare lo spaccato di alcune società beneficiarie dei contributi pubblici, sulla base di un'autonoma verifica effettuata dalla Dna nel 2004. Le questioni emerse secondo la Direzione nazionale antimafia sono le seguenti:

- una ricchezza calabrese costituita dalla disponibilità di enormi capitali e da ingenti patrimoni immo-

---

condotti a livello nazionale procedimenti amministrativi o giudiziari per 3686 di questi casi e che è stato recuperato un importo di circa 345 milioni di euro.

Nel 2006 le rettifiche finanziarie relative ai periodi di programmazione 1994-1999 e 2000-2006 erano rispettivamente di 502 milioni di euro e 521 milioni di euro». (Fonte: Relazione della Commissione al Parlamento Europeo e al Consiglio, COM(2007)390, Tutela degli interessi finanziari delle Comunità – Lotta contro la frode, Relazione annuale 2006 [SEC(2007)930]-[SEC(2007)938] del 6 luglio 2007).

biliari (2479 fabbricati e 2260 terreni), in palese contraddizione con l'entità dei redditi dichiarati da molti dei possessori di tale ricchezza;

- la concentrazione di tale ricchezza in capo a pochi soggetti. Sul punto è sufficiente rilevare che presso lo studio commerciale di Francesco Indrieri, del gruppo economico Gatto, sito in Cosenza, via Monte San Michele, hanno sede legale o domicilio fiscale 43 società;
- la rapidità dell'accumulazione della ricchezza: la società leader del gruppo, Fincom S.p.A., riconducibile alle famiglie Gatto e Cresciti, che opera come una vera e propria *holding* finanziaria, è stata costituita a Roma nel 1993 e dall'anno successivo è in continua espansione, con investimenti nei settori più disparati, quali la grande distribuzione alimentare, l'abbigliamento, il settore immobiliare, lo smaltimento dei rifiuti;
- le cointeressenze dei rappresentanti dei suddetti gruppi economici in società di cui risultano soci soggetti di conclamata appartenenza a noti ambienti criminali. Antonio Giampà, fratello di Pasquale Giampà detto «tranganiello», ucciso nel 1992 in un agguato mafioso, è socio, unitamente ad alcuni suoi congiunti, dell'Eurodis di cui è amministratore unico Santino Pasquale Cresciti, poi incorporata nella Gam s.r.l. di Antonio Gatto e altri.

Un noto imprenditore di Vibo Valentia, oggetto anche di attentati, possiede quote di partecipazione nella

San Pantaleone s.r.l., della quale risulta socio anche Francesco Mancuso, noto esponente del gruppo criminale omonimo.

Della società Gds s.r.l., con sede in Salerno, è socio anche Salvatore Michele Scuto, figlio di Sebastiano Scuto che ha precedenti per associazione per delinquere di tipo mafioso e secondo la Dna verosimilmente affiliato alla potente famiglia mafiosa dei Laudani di Catania.[21] Attualmente Antonino Giuseppe Gatto è presidente del Comitato Direttivo di Despar Italia e cioè dell'organo che definisce le principali strategie, le scelte e le politiche di Despar Italia sul territorio nazionale. Dello stesso Comitato Direttivo è componente Salvatore Scuto.

Non è superfluo richiamare l'operazione ultimata nel dicembre 2007 da Dia e Polizia di Stato di Trapani nei confronti di Giuseppe Grigoli, considerato il braccio finanziario del ben noto latitante Matteo Messina Denaro. L'imprenditore, che rifornisce i supermercati Despar della Sicilia Occidentale, è accusato di concorso esterno in associazione mafiosa, e a suo carico è stato ordinato anche il sequestro di beni e società per un valore di 200 milioni di euro. Su tutta questa vicenda, le cui indagini erano state sollecitate su impulso della Dna e successivamente archiviate dall'ex procuratore di Catanzaro Mariano Lombardi, si sono aperti nuovi filoni di inchiesta come riferito nell'audizione della Dda di Catanzaro in Commissione Antimafia.

---

21. Audizione del procuratore aggiunto della Dna, dott. Emilio Ledonne, 4.12.2007.

8. Europaradiso

Sempre con soldi pubblici, tra Crotone e la Riserva della Foce del Neto, avrebbe dovuto sorgere «Europaradiso», il più grande complesso turistico e di giochi acquatici del Meridione, sul modello delle mega strutture turistiche andaluse della Costa del Sol. La vicenda è emblematica del grumo di interessi che si possono intrecciare tra gli appetiti delle cosche e poco trasparenti operazioni finanziarie internazionali e come, al di là degli aspetti corruttivi, possano anche alterare gli equilibri ambientali e territoriali piegandoli agli interessi privati. Il rapporto della Polizia giudiziaria del 21.02.2005 riassume così l'iniziativa[22]:

1. Il 18.2.2005 alle ore 10,00 presso la Sala Consiliare del Comune di Crotone è stato presentato il progetto di trasformazione di un'area di 10 mila ettari prospiciente al mare nel più grande complesso residenziale turistico del Mezzogiorno, con la realizzazione di 120 mila posti letto tra residence e alberghi e occupazione di 4 mila persone. L'area, ubicata in località Gabella tra Crotone e la foce del fiume Neto, è stata giudicata di particolare interesse turistico per le spiagge e il clima favorevole, nonché per la presenza di un porto e di un aeroporto sottoimpiegati. Sono stati prospettati investimenti per 5-7 miliardi di euro, che mirano a trasformare questa parte di costa calabrese sul modello della Costa del Sol spagnola.

---

22. Dalla Relazione annuale di dicembre 2006 della Dna.

2. Il gruppo imprenditoriale che si dovrebbe far carico dell'investimento è rappresentato da David Appel. Le società che gestiranno l'investimento sono:
   - Europaradiso International S.p.A. costituita il 10.11.2004 con sede a Crotone via Libertà presso lo studio di un commercialista; figura come amministratore unico Appel Gil, nonché altri cittadini crotonesi di non elevato spessore imprenditoriale.
   - Europaradiso Italia s.r.l. costituita nella stessa data e con la stessa sede della precedente; amministratore unico è sempre il citato Appel Gil. I finanziamenti dovrebbero provenire dai Fondi di investimento internazionali (...)

Interessato all'esecuzione del progetto di Appel sarebbe un noto personaggio del crotonese, in collegamento con ambienti malavitosi locali e fondatamente sospettato di riciclare, in Italia e all'estero, il «denaro sporco» per conto della cosca mafiosa Grande Aracri di Cutro. Tali sospetti sono risultati confermati dalle indagini bancarie effettuate dal Reparto Operativo Carabinieri di Crotone e dalla Dia di Catanzaro, che hanno riscontrato movimentazioni finanziarie sui conti correnti del soggetto in questione dell'ordine di milioni di euro senza alcuna apparente giustificazione.

Attualmente il progetto è fermo anche per iniziativa della Regione Calabria. È chiaro che la scelta dell'imprenditore di realizzare a Crotone il proprio progetto (dopo aver fallito su un'isola greca per il rifiuto delle istituzioni locali), oltre a ragioni climatiche era dovuto a una presunta valutazione di disponibilità «ambientale» verso un'operazione che per realizzarsi non doveva avere vincoli, né rispondere a rigide regole di trasparenza politica e amministrativa.

9. I patrimoni mafiosi

La forte incidenza della vera e propria patologia calabrese nella gestione ed erogazione dei fondi comunitari, legata anche al livello di penetrazione della 'ndrangheta nelle istituzioni pubbliche, a vario titolo coinvolte nei procedimenti amministrativi di erogazione dei fondi, è ricavabile anche dall'analisi dei casi di frodi complessivamente svolta a livello annuale dall'Olaf.

L'incidenza finanziaria totale delle irregolarità, compresi i sospetti di frode, stimata per l'intera Unione Europea, era stata, nel 2006, di 1.155,32 milioni di euro, con 12.092 irregolarità comunicate da tutti gli Stati membri. Il dato inquietante è che nella sola Calabria, con una popolazione pari a circa lo 0,4% di quella europea, si consuma l'1,58% del totale delle frodi ai danni del bilancio comunitario e le indebite percezioni in Calabria ammonterebbero a circa il 6,54% del totale comunitario.

A fronte del quadro appena descritto risulta evidente che il rafforzamento economico e finanziario della 'ndrangheta è passato anche attraverso una paziente e incessante opera di appropriazione indebita di pubblici finanziamenti destinati al sistema delle imprese.

Questo costante travaso non è stato e non è sufficientemente contrastato dalle amministrazioni pubbliche regionali e locali, anche quando esse non risultano contigue o non favoriscono direttamente le indebite appropriazioni.

Così come, assolutamente insufficiente appare la legislazione in materia di controlli sui procedimenti di aggiudicazione, lasciati esclusivamente al potere di auto-organizzazione delle stesse amministrazioni erogatrici dei finanziamenti, creando un meccanismo di commistione e di autotutela reciproca tra controllori e controllati.

Il potenziale economico della mafia calabrese, la capacità pervasiva dei suoi capitali e il suo dinamismo sui mercati internazionali ripropongono la centralità dell'aggressione alle ricchezze e ai capitali mafiosi per incrinare la forza delle cosche sul territorio e la loro capacità di conquistare consenso sociale.

Nel corso della XIII legislatura la Commissione parlamentare d'inchiesta sul fenomeno della mafia approvò una relazione sullo stato della lotta alla criminalità organizzata in Calabria in cui veniva posto l'accento sul divario crescente tra ricchezze criminali e numero e valore dei beni individuati, a loro volta di gran lunga maggiori rispetto a quelli posti sotto sequestro e a quelli poi fatti oggetto di confisca.

L'inchiesta condotta da questa Commissione ha consentito, in più occasioni, di riscontrare il permanere delle difficoltà in cui versa l'azione di contrasto patrimoniale; difficoltà accentuate dalla scelta operata dalle cosche di separare nettamente i canali della conduzione materiale del traffico di sostanze stupefacenti dai canali finanziari (attraverso cui vengono effettuati i pagamenti relativi al traffico di stupefacenti e gli investimenti dei profitti illeciti) e rese plasticamente visibili dall'enorme divario tra beni sequestrati e beni confiscati.

È interessante comprendere quanto, nonostante gli sforzi e i risultati ottenuti dalla magistratura e dalle forze di polizia, di fronte alla potenza economica accertata della 'ndrangheta sia risibile il livello dell'aggressione ai suoi patrimoni.

Secondo i dati forniti dall'Agenzia del Demanio e aggiornati al dicembre 2006, sul territorio della Calabria insistono 1093 beni immobili confiscati dal 1982 al 2006, pari al 15% degli immobili confiscati in totale sul territorio nazionale.

Più in dettaglio, sul totale di 1093 beni immobili confiscati, la consistenza per tipologie è la seguente:

- abitazioni 562, pari al 51,4% del totale;
- terreni 363, pari al 33,2% del totale;
- locali 122, pari all'11,1% del totale;
- capannoni 18, pari all'1,6% del totale;
- altri beni immobili 28, pari al 2,6% del totale.

Per quanto concerne il rapporto tra il territorio calabrese e l'attività di confisca, i beni immobili confiscati nella regione sono 886, pari al 12% del totale nazionale confiscato.

All'esito di recenti indagini giudiziarie è stato accertato che, sul totale di 1093 beni immobili confiscati esistenti nel territorio calabrese, oltre 800 sono quelli nella sola provincia di Reggio Calabria; di essi, poco più di 300 risultano consegnati dall'Agenzia del Demanio alle competenti amministrazioni comunali.

Dall'indagine è emerso che gli immobili confiscati e consegnati a 25 Comuni della provincia di Reggio Calabria, compreso il capoluogo, hanno avuto la seguente sorte:

• sono stati assegnati a enti e/o associazioni con notevole ritardo;

• alcuni di essi non sono stati mai assegnati ad alcun ente;

• altri ancora risultano in uso e/o nella disponibilità dei soggetti nei cui confronti lo Stato aveva proceduto alla confisca.

In relazione a tali destinazioni d'uso, sono state accertate responsabilità di rilievo penale a carico di amministratori e funzionari dei suddetti 25 Comuni.[23] Peraltro, in alcuni casi sono stati scoperti diretti legami di parentela tra amministratori e funzionari dei Comuni in questione e soggetti appartenenti alla 'ndrangheta.

Le condotte accertate nel corso delle indagini sono sintomatiche, da un lato delle difficoltà a rendere efficace

---

23. Sono i Comuni di Africo, Ardore, Bruzzano Zeffirio, Cinquefrondi, Condofuri, Giffone, Gioia Tauro, Gioiosa Ionica, Marina di Gioiosa Ionica, Melicucco, Melito Porto Salvo, Molochio, Oppido Mamertina, Palmi, Reggio Calabria, Rizziconi, Rosarno, San Luca, San Procopio, Seminara, Siderno, Sinopoli, Varapodio, Villa San Giovanni.

un'azione che miri alla sottrazione alle cosche della disponibilità di beni di provenienza illecita; dall'altro lato offrono la possibilità di comprendere quanta resistenza oppongano le organizzazioni colpite da provvedimenti di sequestro o confisca dei beni.

Un esempio dell'arrogante potere esercitato dalle cosche sul territorio anche con riferimento all'azione che lo Stato riesce a portare avanti in questo campo, può essere tratto dal Comune di Gioia Tauro, ove sono state riscontrate situazioni in cui soggetti appartenenti a cosche molto forti come quelle facenti capo alle famiglie Piromalli e Molè hanno ancora nella propria disponibilità i beni a essi confiscati.[24] A ciò si aggiunga l'opposizione e la reazione delle cosche all'assegnazione dei beni confiscati a finalità sociali, come previsto dalla Legge 109/1996: a tal proposito, non si può dimenticare, per restare agli avvenimenti degli ultimi tempi, la distruzione dei macchinari e danneggiamenti ai capannoni della cooperativa agricola Valle del Marro-Libera Terra nell'estate del 2007. La cooperativa sorta nel 2004 e animata dal parroco di Polistena, don Pino De Masi, gestisce 60 ettari di terreno confiscato alle cosche Piromalli, Molè e Mammoliti.

I danni subiti per oltre 25.000 euro sono stati però rapidamente risarciti grazie alla solidarietà di associazioni e istituzioni scattata in tutta Italia.

---

24. Analoghe situazioni sono state accertate a Condofuri, Marina di Gioiosa Ionica, Palmi, Molochio, Reggio Calabria, Villa San Giovanni.

Simile la situazione per le aziende confiscate alla 'ndrangheta.

Dai dati forniti dall'Agenzia del Demanio emerge che nel periodo 1982-2006 in Calabria sono state confiscate 59 aziende, pari al 7% del totale delle aziende confiscate su scala nazionale.

Più in dettaglio, la tipologia di beni aziendali confiscati risulta la seguente:

* imprese individuali 35, pari a circa il 60% del totale;
* società in nome collettivo 5, pari all'8,5% del totale;
* società in accomandita semplice 9, pari a circa il 15% del totale;
* società a responsabilità limitata 9, pari a circa il 15% del totale;
* società per azioni 1, pari a circa l'1,5% del totale.

Rispetto al dato nazionale si rileva una differenza: la maggior parte delle aziende confiscate, circa il 60%, è costituita da imprese individuali, alle quali si aggiunge circa il 24% di società di persone (s.a.s. e s.n.c.). La media nazionale, invece, evidenzia che il 51% delle aziende confiscate è rappresentato da società di capitali.

Le aziende confiscate operavano nei seguenti settori: costruzioni (16), commercio (18), alberghi e ristoranti (2), agricoltura (14), trasporti e magazzinaggio (3), manifatturiero (2), estrazione di minerali (1), pesca (1), altre attività (2). Questi dati molto parziali indicano la tendenza della 'ndrangheta a investire nei settori del commercio, delle costruzioni e dell'agricoltura.

Anche per la Calabria, infine, si confermano i gravi limiti, fino al danno per la credibilità del contrasto ai patrimoni e alle ricchezze mafiose, dell'azione dell'Agenzia del Demanio nella gestione dei beni. Si ripropone, quindi, l'esigenza di un suo superamento parallelo all'adeguamento dell'intera legislazione sulla materia.

1. Sanità e corruzione

La Sanità è il buco nero della Calabria, è il segno più evidente del degrado, è la metafora dello scambio politico-mafioso, del disprezzo assoluto delle persone e del valore della vita. Il mondo della Sanità è importante, innanzitutto, per «l'occupazione che assicura e l'indotto che ne deriva (...) Di qui gli investimenti della criminalità organizzata, non solo di tipo economico (con la realizzazione di attività imprenditoriali nello specifico settore), ma anche, e soprattutto, su soggetti politici a essa legati.»[1] Soldi e uomini. Questa è la miscela che fa andare avanti le cose, i capitali veri, animati e inanimati, di cui dispone la 'ndrangheta.

Le parole del giudice reggino sono contenute in un'ordinanza di custodia cautelare in carcere che ha riguardato, tra gli altri, Domenico Crea, consigliere regionale in carica, esponente principe del moderno trasformismo calabrese e italiano, uomo dalle molteplici frequentazioni politiche: nel giro di tre anni è passato dal centrodestra

---

1. Gip/Gup Reggio Calabria, N° 1272/07 R.G.N.R.D.D.A.

con l'Udc, al centrosinistra con la Margherita per ritornare al centrodestra con la nuova Dc dell'on. Rotondi. È stato assessore all'urbanistica e all'ambiente, all'agricoltura e al turismo. È passato da un assessorato a un altro, da un partito all'altro. Un funambolo.

Sul suo funambolismo è bene leggere quanto scrive il Gip di Reggio Calabria: «La storia politica recente del Crea Domenico, infatti, è costituita: da cambi repentini di "casacca", come quello del transito dallo schieramento di centrodestra a quello opposto (e viceversa), a dimostrazione dell'assoluta mancanza di idee politiche, che accompagna soltanto logiche di interesse; da sconfitte elettorali, come quella patita nelle elezioni amministrative regionali del maggio 2005; da brusche modifiche in tutti i rapporti interpersonali, come quelli rilevati nel momento dell'avvenuto provvedimento di surroga del novembre 2005, scaturito a seguito dell'omicidio dell'onorevole Fortugno. Su tutto emerge in maniera preponderante l'ultima campagna elettorale per le elezioni provinciali, temporalmente successiva al noto fatto di sangue».

Come emerge dall'ordinanza del Gip, le doti trasformistiche di Crea si esaltano e si realizzano proprio alle elezioni provinciali, allorquando Crea riesce a candidare i suoi uomini in una delle due liste promosse dalla Margherita nella quale è confluita l'area dei popolari di cui è riferimento la stessa onorevole Maria Grazia Laganà Fortugno, impegnata, già in quel periodo, nella battaglia pubblica per avere la verità sull'omicidio di suo marito.

È la Sanità il centro dell'ordinanza; in questo caso la Sanità privata dove le incursioni della 'ndrangheta, i suoi condizionamenti e le sue infiltrazioni appaiono in tutta la loro devastante profondità al punto che il Gip ha disposto «il sequestro preventivo della società s.r.l. Villa Anya, delle sue quote sociali, dell'intero compendio aziendale e del complesso immobiliare in cui è collocata».

Ma neanche la Sanità pubblica è stata esente da infiltrazioni della 'ndrangheta. È storia di oggi, ma è anche storia di ieri, cominciata tanti anni fa e mai interrotta. A conferma, se mai se ne fosse avvertita la necessità, di una cattiva amministrazione, di irregolarità, di piccole e grandi illegalità, di diffuse pratiche clientelari, di rapporti mafiosi che durano nel tempo.

2. 1987. Taurianova e Locri: le prime Usl sciolte

Con due decreti datati 15 aprile 1987 il presidente della Repubblica stabiliva lo scioglimento delle Usl di Taurianova e di Locri. La situazione era arrivata a un punto di non ritorno. Le relazioni che accompagnavano il decreto erano firmate da Oscar Luigi Scalfaro, all'epoca ministro dell'Interno. In modo molto eloquente, seppure sintetico, era descritto quanto era accaduto a Taurianova e a Locri. Ne risultava un quadro davvero desolante ma nello stesso tempo illuminante delle ragioni di fondo che avrebbero permesso alla 'ndrangheta di dominare quelle realtà.

A Taurianova il presidente del comitato di gestione assumeva direttive e iniziative «illegittime» e aveva «da tempo informato la propria azione a criteri arbitrari e clientelari. Alla condotta del presidente del comitato di gestione dell'Unità Sanitaria Locale che è stato più volte colpito da gravi condanne penali per fatti connessi alla sua qualità di pubblico ufficiale, ha fatto riscontro, in perfetta unità d'intenti, l'operato non meno illegittimo e arbitrario degli organi collegiali dell'Unità Sanitaria Locale, i cui provvedimenti – a citare i più salienti – in materia di fornitura, di acquisti, di assunzioni e carriera del personale sono stati adottati con la violazione di ogni procedura amministrativa, con la persistente trasgressione delle norme contabili».

Ancora più pesante la situazione dell'Usl di Locri dove c'era «un retroscena amministrativo caratterizzato sostanzialmente da ingerenze di tipo mafioso, lottizzazioni e irregolarità gestionali di ogni genere. La situazione trova così origine nelle numerose azioni di stampo mafioso commesse da componenti dell'Unità Sanitaria Locale e rivolte ad acquisire profitti illeciti con inevitabili danni per la stessa gestione dell'ente. Il condizionamento mafioso si è estrinsecato, oltre che con atti di violenza intimidatoria nei confronti di persone interessate alla gestione dell'Unità Sanitaria Locale o comunque orientate a denunziare le disfunzioni amministrative, anche nello svolgimento dell'attività amministrativa riguardo alle certificazioni richieste dalla legge antimafia per gli appalti di opere pubbliche, e per le stesse assunzioni nell'ente, condizionate dall'appartenenza ad associazioni di stampo mafioso». A completezza della situazione c'è solo da aggiungere che il presidente era stato tratto in arresto e i membri del comitato di gestione erano stati raggiunti da comunicazioni giudiziarie.

3. 2006. Locri, il secondo scioglimento

A distanza di vent'anni da quei fatti, la relazione Basilone,[2] desecretata nel febbraio 2008 su iniziativa di questa Commissione parlamentare, mostra come i fenomeni degenerativi presenti nel 1987 negli anni si siano aggravati, diventando normalità di relazioni interne e metodologia permanente di gestione. L'Asl n. 9 di Locri al momento dell'accesso della Commissione aveva 1630 dipendenti e 366 medici esterni convenzionati.

Secondo la relazione le attività dell'Asl sono state fortemente condizionate dal tessuto socio-economico e dalle pressioni della 'ndrangheta. Sull'amministrazione sanitaria «si sono concentrati gli interessi della criminalità e perpetrata una diffusa compressione, se non una forte intimidazione, dell'autonomia dell'ente. Ne è conseguita un'attività dell'amministrazione sanitaria non sempre ispirata ai criteri di buon andamento e di imparzialità, e anzi spesso ben lontana dalla applicazione delle regole di giusto procedimento di legge perché soggetta alle pressioni che ne hanno compromesso il regolare funzionamento. In generale tale compromissione è risultata evidente proprio, e non a caso, nei settori della spesa e quindi dell'utilizzo delle risorse economiche pubbliche.»

Il sistema perverso era individuato in particolare in alcune pratiche amministrative che mostravano un discuti-

---

2. Ufficio territoriale di Governo, Prefettura di Reggio Calabria, Relazione conclusiva in data 26 marzo 2006 a firma del prefetto Paola Basilone.

bile approccio alla gestione dei fondi pubblici. Ad esempio, per gli accreditamenti delle strutture private «si è assistito a un diffuso e sistematico sforamento dei tetti di spesa, che non solo ha determinato un dilagante fenomeno di indebitamento sommerso (rapporto tra prestazioni pagate e prestazioni realizzate a carico del sistema sanitario) della Asl, ma che al contempo ha comportato indebiti vantaggi economici da parte di strutture private i cui soci sono risultati spesso interessati da precedenti penali o di dubbia moralità.»

Dunque, sin dall'inizio la Commissione individuava un punto cruciale nella gestione delle pratiche amministrative che svantaggiava la Sanità pubblica e favoriva la Sanità privata, con interlocutori che quando non erano diretta espressione delle cosche, erano collocabili in una zona di frontiera con i loro interessi.

Nel solo anno 2004, innovando precedenti prassi di contratti bilaterali, l'Asl aveva stipulato contratti multilaterali con 27 diverse strutture private. Per ciascuna struttura avrebbe dovuto acquisire la relativa certificazione antimafia. Ma le certificazioni non erano inserite nel procedimento perché mai, in nessun momento, erano state richieste dall'amministrazione dell'Azienda. Così, nel quadriennio 2002-2005 sono state riconosciute prestazioni di servizi – tra l'altro per importi rilevanti e superiori al previsto – che in presenza della certificazione antimafia prevista dalla legge sarebbero stati preclusi.

Alcuni esempi di rapporti con strutture esterne aiutano a capire la complessità degli intrecci descritti.

La società Medi-odonto Center ha sede a Gioiosa Ionica. L'amministratore unico della società era Domenico Tavernese. Era stato arrestato nel 1993 «per il reato di associazione di tipo mafioso, estorsione e usura.» Il procedimento penale aveva coinvolto anche appartenenti alla famiglia mafiosa degli Aquino la cui base di attività è il Comune di Marina di Gioiosa Ionica. Alla fine delle sue traversie giudiziarie Tavernese è stato condannato per il reato di usura. La relazione «Basilone» dava conto anche delle frequentazioni, andate avanti fino all'ottobre del 2005, dell'amministratore unico con esponenti di vertice della cosca Ursino-Macrì legata agli Aquino. «È da sottolineare la sostanziale inerzia della Asl che in seguito alla sentenza divenuta irrevocabile, di condanna, non ha mai verificato la sussistenza dei requisiti morali per il proseguimento del rapporto con il laboratorio, che pertanto ha continuato a erogare prestazioni retribuite dall'Amministrazione, peraltro con importi ben superiori a quelli consentiti.»

Il Pio Center, centro di ricerca clinica e patologia medica con sede a Bovalino. Il laboratorio di ricerca è stato interessato da due provvedimenti di sequestro beni nel 2004 «in quanto considerato, dagli inquirenti, facente parte del patrimonio di Antonio Nirta» di San Luca. Non un boss qualsiasi, ma uno dei capi storici della 'ndrangheta, protagonista della faida che ha portato alla strage di Duisburg.

Il centro diagnostico sorgeva all'interno di un edificio di cinque piani intestato ad Antonia Giorgi, moglie di Antonio Nirta. Il 96% del capitale sociale è detenuto dal Poliambulatorio Salus s.r.l. le cui quote sociali sono detenute dal medico Maria Immacolata Pezzano cognata di Giuseppe Nirta, figlio di Antonio Nirta. Lo stesso Poliambulatorio ha intrattenuto nel tempo «rapporti convenzionali con l'Azienda Sanitaria di Locri». Anche in questo caso c'è da registrare «la sostanziale inerzia della Asl che non ha mai acquisito, come già detto, nessuna informazione o comunicazione antimafia sulla struttura e compagine societaria accreditata, che poi è risultata infatti colpita da misure cautelari».

Centro ricerche cardiovascolari per la cardiologia «D.A. Cooley» con sede a Bovalino. Anche questa società è stata interessata dal sequestro dei beni per la porzione di quota di proprietà di Filippo Romeo di San Luca, socio accomandatario fino al 1999. Il sequestro «è scaturito sulla base dei sufficienti indizi circa l'appartenenza dei preposti alla consorteria mafiosa Romeo-Pelle operante nel territorio di San Luca e zone limitrofe.» È evidenziato nel decreto di sequestro che i beni riportati nel provvedimento sono di valore sproporzionato rispetto ai redditi dichiarati e alle attività svolte dai preposti e comunque riconducibili ad attività illecite. Il provvedimento n. 78/2001 emesso dal Tribunale sezione misure di prevenzione di Reggio Calabria sottolinea come «il gruppo in questione, presente massicciamente proprio per il suo ruolo egemone in svariate fette del mercato dell'illecito, al fine di aumentare considerevolmente la sua disponibilità finanziaria e il suo prestigio, avrebbe dovuto provvedere a uno spostamento del baricentro degli interessi economici, prima garantiti quasi esclusivamente dai proventi derivanti dai sequestri di persona e dagli appalti, per orientarsi verso nuove fonti di guadagno, quali in particolare il traffico di stupefacenti». Altri soci avevano precedenti penali e continuavano a frequentare uomini ed esponenti delle diverse famiglie mafiose. Ovviamente quando non erano impegnati a occuparsi di Sanità!

Non mancano poi le convenzioni con società, associazioni e cooperative, ovviamente «senza fine di lucro», dove la presenza di uomini legati, direttamente o indirettamente, alla 'ndrangheta è sicuramente rilevante. Nei primi cinque anni del 2000, secondo la relazione Basilone, hanno percepito rilevanti somme di denaro.

CO.S.S.E.A. – società cooperativa sociale con sede a Gioiosa Ionica. Le cariche della società erano ricoperte da alcune persone che avevano precedenti penali.

A.R.P.A.H. – Associazione per la ricerca sulla problematica degli anziani e handicappati con sede legale ad Africo. In questa associazione le cariche sociali erano ricoperte da persone che avevano molteplici frequentazioni con soggetti gravati da precedenti penali e per reati di tipo mafioso.

4. Convenzioni e appalti

Altro capitolo particolarmente inquietante dell'Asl di Locri era quello relativo alla remunerazione delle convenzioni con le strutture private accreditate a fornire prestazioni. Il pagamento era regolato da precise norme che in ogni caso prevedevano la riconducibilità della spesa entro il tetto massimo stabilito dal contratto multilaterale.

In realtà il tetto di spesa complessivamente sostenuto nel periodo 2000-2005 è stato pari a € 88.227.864, e cioè quasi il doppio della spesa massima autorizzabile se calcolata moltiplicando per 6 (e quindi con largo margine di prudenza) il tetto di spesa annuale più prossimo, pari a 8.262.414 (limite di spesa annuo 2004). È risultato che il numero di interventi pagati nel periodo 2000-2005 sia stato pari a 11.224.919 su un campione di popolazione di circa 135.000 abitanti, mentre il tetto massimo di interventi, autorizzato per l'anno 2004, era di 1.050.634. «Particolarmente eclatante – secondo la relazione Basilone – è il caso del laboratorio Fiscer, il cui tetto di spesa autorizzato, nel periodo 2000-2005, è pari a € 10.131.780 (dato effettivo 2004 moltiplicato per 6, secondo il parametro teorico di confronto), mentre risultano fatture effettivamente pagate, nel medesimo periodo, per un importo di € 31.544.414.» Il direttore sanitario del laboratorio era Pietro Crinò, in passato raggiunto da più provvedimenti di polizia.

Altro punto di notevole sofferenza è quello legato agli appalti, settore cruciale per ogni Pubblica amministrazione e storico veicolo di penetrazione della 'ndrangheta.

«Gli accertamenti compiuti in sede di accesso hanno permesso di ricostruire un'assoluta e probabilmente non del tutto ostacolata disorganizzazione dell'ufficio che avrebbe dovuto occuparsi della gestione degli appalti. Da un lato vi è l'ufficio tecnico che gestisce gli appalti di opere e lavori pubblici, dall'altro l'ufficio provveditorato che a sua volta è disarticolato perché da una parte gestisce le procedure di evidenza pubblica e, con separata struttura, procede agli acquisti a trattativa privata, plurima o diretta.»[3]

---

3. Ufficio territoriale di Governo, Prefettura di Reggio Calabria, Relazione conclusiva in data 26 marzo 2006 a firma del prefetto Paola Basilone.

Emerge un quadro davvero impressionante di malasanità e di evidenti cointeressenze tra amministratori e uomini delle 'ndrine che si sono realizzate apparentemente grazie al modo volutamente superficiale e distorto di ammini-
strare e di erogare fondi pubblici, in realtà per effetto di un
preciso metodo finalizzato ad abbattere i vincoli di trasparenza e la soglia di legalità, per favorire la permeabilità a
vantaggio degli interessi mafiosi. In ciò contando sulla diffusa impunità o sui condoni o sulla depenalizzazione delle
diverse leggi finanziarie. Forse solo così è possibile spiega-
re il diffuso ricorso al sistema di: «acquisto diretto di forniture e servizi; acquisto diretto a trattativa privata».[4] Inoltre
«si è accertata una violazione sistematica della normativa
antimafia, con mancata attivazione delle procedure di richiesta di certificazione per frammentazione delle forniture-
re, tali da renderle di valore inferiore ai limiti di soglia richiesti dalla legislazione vigente.»[5]

Tutto ciò, è sempre bene ricordarlo, in una zona come
la locride dove esiste una fortissima e storica concentrazione di famiglie e tra le più prestigiose dell'intera 'ndrangheta calabrese. Le dinamiche criminali del versante ionico hanno confermato la supremazia e la *leadership* dei locali di Platì, San Luca e Africo, con le famiglie Barbaro,
Romeo e Morabito-Palamara-Bruzzaniti, molto attive nel
settore del traffico nazionale e internazionale di stupefacenti. La famiglia Iamonte controlla i territori di Melito

---

4. *Ibidem.*
5. *Ibidem.*

Porto Salvo e Montebello Ionico. A Locri, seppure ancora in guerra, ci sono i Cordì e i Cataldo. Nell'area operano altresì le cosche Nirta, Barbaro, Pelle, Commisso e Mazzaferro. A Marina di Gioiosa Ionica sono presenti le cosche Aquino-Scali, Mazzaferro-Ierinò e Ursino-Macrì. A San Luca sono presenti anche i Giampaolo e gli Strangio, legati ai Nirta mentre i Maesano-Paviglianiti-Pangallo sono presenti a Roccaforte del Greco, S. Lorenzo, Roghudi e Condofuri.

È difficile immaginare che gli amministratori e gli esponenti politici di riferimento in una realtà così connotata non sapessero che determinate pratiche, come il ricorso alla trattativa privata e l'acquisto diretto di forniture e servizi, non fossero condizionate dalla presenza delle 'ndrine né è immaginabile che non conoscessero i titolari e le reali «proprietà» delle strutture di volta in volta beneficiarie di contratti e accrediti che, come si è visto, sono pesantemente inserite nei principali settori economici produttivi e di servizi.

La libertà di mercato, con le sue regole e i suoi attori sociali, non è di queste terre. Né lo Stato e le istituzioni hanno avuto qui la capacità di imporsi. In queste latitudini prevalgono le leggi della 'ndrangheta anche all'interno dell'Asl, dove ha propri aderenti e affiliati e può contare su un vero e proprio sistema di complicità e acquiescenze.

Non a caso la Commissione d'accesso ha rilevato che «la gestione degli appalti esaminati è avvenuta con modalità tali da evidenziare una violazione delle regole di evidenza pubblica, e più in particolare delle norme che disciplinano le forme concorrenziali del mercato, poste invece a tutela dell'imparziale scelta del contraente, e nell'interesse dell'Amministrazione. La Asl ha spesso fatto ricorso a rinnovi o proroghe dei contratti già esistenti, a trattativa privata, eludendo gli obblighi della gara. Il ricorso a tale sistema di gestione è avvenuto in modo troppo frequente da non poter lasciar intendere che l'esigenza della proroga fosse sempre effettivamente conseguente a una obiettiva ragione di urgenza e non invece a un deliberato comportamento dell'ente di eludere i principi di legalità. E ciò è confermato dalla circostanza che una volta prorogato il precedente contratto con la motivazione che occorreva garantire la continuità del servizio, l'azienda non provvedeva contestualmente a bandire alcuna gara. Di fatto, sotto le mentite spoglie di una proroga per garantire il precedente servizio, si nascondeva una vera e propria aggiudicazione di un nuovo contratto a trattativa privata.»[6]

Il giudizio è molto duro e va al cuore di un vero e proprio sistema che si ripropone con frequenza e si autoriproduce.

A riprova di tutto ciò, la vicenda dell'affidamento alla Coop. Service di Locri del servizio di pulizia di tutti i presidi ospedalieri di Siderno e di Locri. L'incarico è stato affidato a trattativa privata senza che siano stati chiariti i criteri di affidamento e neanche l'importo da corrispondere. «Complessivamente, dall'esame dell'elenco fatture fornito dal servizio ragioneria dell'Azienda Sanitaria, sono stati erogati, nel periodo 2000-2005, a favore della citata so-

---

6. *Ibidem.*

cietà cooperativa, euro 8.461.383.»[7] Ancora una volta, e nonostante la cifra erogata lo imponesse, nessuna richiesta dell'informativa antimafia è stata inoltrata alla Prefettura di Reggio Calabria.

La cooperativa ha una situazione alquanto particolare e tipica delle società di copertura. Infatti i soci-dirigenti sono immuni da «segnalazioni o denuncie di rilevanza penale», mentre ben diversa è la situazione dei 154 soci dipendenti, dei quali 125 donne e 29 uomini. 85 di loro sono residenti nel Comune di Locri, e di questi «ben 23 sono legati da vincolo di parentela diretto, perché figli o addirittura coniugi, con appartenenti di primo piano delle organizzazioni mafiose locali.»[8]

5. I dipendenti

Alcuni esempi ci danno l'idea delle pesanti e profonde infiltrazioni delle 'ndrine, del condizionamento permanente, quotidiano, sui dipendenti delle strutture ospedaliere, sui degenti e sui familiari in una realtà come quella di Locri dove tutti conoscono tutti.

Domenico Audino è figlio di Pietro Audino, noto esponente della famiglia mafiosa Cordì.

Anna Maria Pittelli è moglie di Antonio Cataldo «ritenuto dalle forze di polizia uno dei vertici della cosca mafiosa dei Cataldo operante nel Comune di Locri e zone li-

---

7. *Ibidem.*
8. *Ibidem.*

mitrofe». Quest'ultimo è figlio di Nicola Cataldo, «boss» dell'omonima cosca unitamente al fratello Giuseppe. Inoltre Antonio Cataldo è fratello di Francesco che ha a suo carico numerosi precedenti penali e di polizia tra i quali quello di associazione mafiosa.

Pasqualina Mollica, è moglie di Pietro Audino. «Lo stesso è ritenuto dagli inquirenti personaggio inserito nell'organizzazione mafiosa dei Cordì di Locri, sospettato di essere specializzato, all'interno del gruppo mafioso, nei furti e negli atti intimidatori. Pietro Audino è stato arrestato nel mese di giugno del 1999 per il reato di associazione di tipo mafioso e scarcerato nel giugno del 2002.»[9]

Sonia Zanirato è convivente con Francesco Cataldo attualmente detenuto per associazione di tipo mafioso. Francesco Cataldo è figlio di Nicola e fratello di Antonio. «Lo stesso è ritenuto capo indiscusso dell'omonimo clan mafioso sospettato dagli organi di polizia di dirigere il racket dei lavori pubblici e privati, nonché di imporre la tangente per i lavori che vengono eseguiti nel territorio di Locri ricadenti sotto il controllo della famiglia, e di dirigere parte del grande traffico di stupefacenti per mezzo dei vari affiliati.»[10]

Antonella Troiano è moglie di Domenico Alecce il quale «fa parte di una famiglia composta da altri cinque fratelli tutti pregiudicati per vari reati. Alcuni fratelli ritenuti dalle forze di polizia socialmente pericolosi sono stati sottoposti a misura di prevenzione. Infatti il clan Alecce

---

9. *Ibidem.*
10. *Ibidem.*

a Locri ha assunto una propria fisionomia nell'ambito della criminalità organizzata incutendo timore sull'intera cittadinanza locrese.»[11]

Stella Strati è convivente di Giuseppe Cavalieri «esponente di rilievo del clan mafioso Cordì.»

Maria Schirripa, è moglie di Salvatore Cavallo, «ritenuto dagli inquirenti appartenente al sodalizio mafioso dei Cataldo». Cavallo è cognato di Aurelio Staltari rimasto ferito in un attentato durante la faida locrese e suocero di Nicola Maciullo, affiliato ai Cataldo.

Loredana Floccari è moglie di Claudio Alì, appartenente alla 'ndrina dei Cataldo. «Il matrimonio con la propria consorte non ha fatto altro che potenziare l'azione criminale dell'Alì. Infatti Loredana Floccari è figlia di Alfredo capo dell'omonimo clan fino al giorno del suo decesso. La stessa è sorella di Walter Floccari, che annovera numerosi precedenti di polizia, ed è considerato un elemento socialmente pericoloso facente parte dell'omonimo clan. Le sue vicissitudini giudiziarie hanno avuto inizio dal 6.11.1989 quando è stato, unitamente ad altre persone, tratto in arrestato perché imputato, ai sensi dell'art. 416-*bis*, di associazione finalizzata al riciclaggio di denaro proveniente da sequestro di persona.»[12]

Adele Cataldo è figlia di Michele Cataldo, deceduto, fratello di Nicola e di Giuseppe, capi indiscussi del clan. La stessa è anche sorella di Giuseppe, assassinato nell'anno 2005 nei pressi della propria abitazione di Locri.

---

11. *Ibidem.*
12. *Ibidem.*

Liliana Cataldo è figlia di Nicola Cataldo, «considerato dagli inquirenti braccio destro del fratello Giuseppe nell'organizzazione mafiosa. Inoltre si occupa in prima persona, con l'ausilio dei figli Francesco e Antonio, degli affari relativi alla gestione delle attività illecite e dei relativi proventi. Il Nicola Cataldo a seguito dell'uccisione del cognato Iemma Antonio ha assunto una posizione totalitaria all'interno della cosca dello stesso capeggiata contando su una fittissima rete di favoreggiatori e fiancheggiatori.» Liliana Cataldo è anche coniugata con Paolo Panetta il quale può vantare diversi procedimenti di polizia per estorsione e porto abusivo di armi.

Anche gli appalti di lavori e opere pubbliche seguono il meccanismo sin qui descritto che prevedeva come costante il frequente ricorso alla trattativa privata plurima. Naturalmente con simili metodi non mancano le sorprese né le rivelazioni. «Nell'ambito delle procedure a trattativa privata – secondo la relazione citata – si è potuto riscontrare che, molto spesso, sono bandite gare differenti per lavori identici.» Il responsabile dell'Ufficio tecnico dell'Azienda Sanitaria ha motivato in questi termini una procedura che ha tutte le caratteristiche dell'unicità: «Le scelte operate in tal senso dall'Ufficio tecnico, attesa l'esecuzione di due differenti gare per l'aggiudicazione di lavori identici relativi alle due diverse strutture ospedaliere amministrate da questa Azienda Sanitaria, trovano ragione nell'opportunità che, in generale, i lavori di importo complessivo non rilevante, concernenti il presidio di Locri, vengono affidati e quindi eseguiti da ditte di Locri, e analogamente per il presidio di Siderno, ciò al fine di evitare "dispetti" tra soggetti economici dei due circondari». Ovviamente in ogni appalto ci si imbatte in parenti diretti di noti mafiosi e questo alla faccia di ogni regola di trasparenza e legittimità dello stesso bando di gara.

Anche sulla questione del personale, materia estremamente delicata, non mancano le anomalie. Nonostante il lavoro svolto dalla Commissione di accesso, è stato impossibile definire il quadro certo e preciso del personale. È scritto infatti nella relazione Basilone: «Sull'argomento occorre, preliminarmente, evidenziare come la richiesta della Commissione, più volte formulata, tendente a ottenere il quadro complessivo degli organici relativi alle suddette figure dirigenziali, abbia trovato parziale e non assolutamente esaustivo riscontro da parte dell'ufficio aziendale preposto. Pertanto, stante la mole della documentazione da acquisire e la complessità della medesima, non si è riusciti ad avere uno scenario certo, definito dall'Azienda, con l'identificazione del posto in organico e della relativa figura professionale che lo ricopre. Tale circostanza era, tra l'altro, già stata evidenziata in una relazione ispettiva redatta da un dirigente dell'Ispettorato Generale di Finanza della Ragioneria Generale dello Stato a seguito di una verifica».

Sembra incredibile, ma né la Guardia di Finanza né la Prefettura di Reggio Calabria sono venute a capo della situazione di profonda anomalia per cui in un'Azienda sanitaria locale lo Stato non è riuscito a far luce sul numero dei dipendenti, sul posto indicato in organico e sulla figura professionale che quel posto è destinata a ricoprire.

E questo senza la presenza della commissione disciplinare, mai più ricostituita dopo le dimissioni di alcuni componenti.

Appare evidente che «per garantire il perseguimento dei propri obiettivi, e il controllo sulla gestione della "cosa pubblica", la pressione sugli organi della Asl è stata possibile anche per la presenza all'interno dell'azienda di personale, medico e non, legato da rapporti familiari a noti esponenti della criminalità organizzata locale o comunque interessati da rilevanti precedenti di polizia o penali. Tale presenza denota», continua la relazione, «tanto la causa quanto l'effetto dell'ingerenza della criminalità organizzata nella gestione dell'azienda, perché si traduce nella possibilità di imporre dall'esterno le scelte di assunzione o quantomeno, come si vedrà, di impedire lo scioglimento dei vincoli lavorativi, sia al fine di tener sempre sotto verifica dall'interno le scelte gestionali, sia per poter garantire la tenuta di una gestione clientelare. In questo contesto, infatti, si spiega la mancanza presso la Asl di una commissione di disciplina del personale.»

Alcuni casi sono particolarmente esplicativi della gravità della situazione, e danno della Asl di Locri una rappresentazione di zona franca per ogni forma di legalità, di diritto, di morale. La peggiore immaginazione è superata dalla più degradante realtà: esponenti mafiosi con sentenze passate in giudicato che continuano a lavorare nonostante la legge lo vieti o mafiosi riassunti dopo trent'anni di carcere nonostante l'interdizione perpetua dai pubblici uffici e dipendenti sanitari ospiti delle patrie galere che continuano a percepire ininterrottamente lo stipendio. Sembra incredibile ma è la realtà.

Il primo caso riguarda l'operatore tecnico originario di Locri Giorgio Ruggia. Basta leggere le righe a lui dedicate dalla Commissione d'accesso per avere aperto uno squarcio di estremo interesse. «Il dipendente in parola era già colpito da misura restrittiva della libertà personale, ed era stato sospeso dal servizio con delibera n. 1.180/98 con decorrenza 7.12.1998. Successivamente, con delibera n. 377/99 a seguito di un provvedimento con il quale il Giudice per le indagini preliminari ha revocato la misura della custodia cautelare, lo stesso è stato riammesso in servizio con decorrenza 19.4.1999. Atteso che il provvedimento prevedeva una misura restrittiva della libertà personale per un periodo superiore a tre anni, con il provvedimento in argomento si è inteso sospenderlo cautelativamente, nonostante la previsione di cui all'art. 5 della Legge 27.3.2001 n. 97, integrato dall'art. 19, comma 1, e l'art. 32-*quater* del codice penale con cui viene stabilito che la condanna alla reclusione per un tempo non inferiore a tre anni (per determinati delitti), importa ai sensi del suindicato art. 32 c.p. l'estinzione del rapporto di lavoro nei confronti del dipendente a seguito di procedimento disciplinare. Il direttore generale ha ritenuto con la delibera 218/2002 che "l'unico provvedimento utile per la tutela delle posizioni sia dell'Amministrazione che dello stesso dipendente può individuarsi nella sospensione cautelare con la corresponsione di un'indennità pari al 50% della retribuzione e gli assegni familiari se dovuti per intero".

«Il provvedimento raggira così la normativa. Ma vi è di

più. Il Ruggia è stato condannato con sentenza della Corte di Appello di Reggio Calabria dell'1.2.2001, divenuta irrevocabile il 16.1.2002, a 3 anni e 8 mesi di reclusione con la pronuncia dell'interdizione dai pubblici uffici per 5 anni. Ciò nonostante con delibera n. 890 del 13.10.2004 il direttore generale della Asl riammette in servizio il Ruggia che difatti riprende il servizio in data 18.10.2004, vanificando così la pronuncia giudiziale della Corte di Appello. Il Ruggia attualmente presta servizio presso la Asl.»

Da dove deriva tanta forza a Ruggia? È ben possibile che gli derivi dal fatto di essere «ritenuto "vicino" alla consorteria criminale Cordì attiva in Locri e in campo nazionale, contrapposta alla cosca Cataldo.»

Il secondo caso è quello di Femia Resistenza, operatore professionale di Locri assunto nell'anno 1974 e riassunto il 21 gennaio 2004, a distanza di ben 30 anni. Nel periodo tra le due assunzioni Resistenza era stato arrestato per associazione mafiosa, per traffico di stupefacenti, ricettazione ecc. Con sentenza della Corte di Appello di Reggio Calabria, in data 14.6.1999, irrevocabile nel 2000. Resistenza è stato condannato a 10 anni e 6 mesi di reclusione e lire 60.000.000 di multa, interdizione perpetua dai pubblici uffici e libertà vigilata per anni 3. Ciò nonostante è stato riassunto. Era stato tratto in arresto per l'operazione antidroga denominata «Onig». È rimasto in carcere dal 1994 al 2003. Era ritenuto un esponente di livello della cosca Macrì di Siderno. Ma per l'Asl di Locri l'interdizione perpetua dai pubblici uffici non esiste.

Il terzo caso è quello dello psicologo Pasquale Morabito, originario di Bova Marina. Con «delibera del direttore generale n. 250 dell'11.4.2002», veniva estinto il rapporto di lavoro presso la Saub di Bovalino, a far data dall'1.11.2001. «Dalle motivazioni poste a supporto del provvedimento si evince che il predetto è risultato assente dal servizio fin dal 1992, pur continuando a percepire regolarmente lo stipendio di competenza. Le ragioni di tale assenza sono da ricercare nella circostanza che il Morabito nel 1996 era stato condannato dalla Corte di Appello di Messina, con sentenza passata in giudicato nel 1997 a 6 anni e 8 mesi di reclusione, con pronuncia di interdizione legale per la durata della pena, per il reato di partecipazione ad associazione finalizzata al traffico illecito di sostanze stupefacenti in concorso. In data 11.6.1999, con sentenza della Corte di Appello di Reggio Calabria, divenuta irrevocabile il 16.10.2000, il Morabito veniva condannato a 8 anni di reclusione, con la pronuncia dell'interdizione perpetua dai pubblici uffici per il reato di associazione di tipo mafioso di cui all'art. 416-*bis*. Occorre al riguardo rilevare che l'Azienda, a seguito della privazione della libertà personale, aveva sospeso dal servizio il Morabito, con conseguente riduzione dello stipendio in applicazione della normativa all'epoca vigente. La sospensione è durata per tutto il periodo del primo quinquennio di detenzione, dopodiché la Asl anziché prendere atto dello stato di perdurante detenzione, e comunque ignorando che il Morabito non era in servizio, ripristinava l'erogazione dello stipendio per intero. In sintesi, la Asl ha erogato l'intero trattamento stipendiale, in favore di un dipendente che non prestava servizio perché detenuto. Per di più, tale situazione è perdurata anche dopo la sentenza della Corte di Appello di Reggio Calabria del 1999 che pronuncia l'interdizione perpetua dai pubblici uffici. Il provvedimento di cessazione dal rapporto interviene tardivamente nel 2002, e fino a quel momento l'Azienda ha proseguito nell'indebito pagamento, per il quale, peraltro, non ha nemmeno avviato azioni di recupero.»[13]

Pasquale Morabito ha parecchi precedenti penali, è stato coinvolto nell'operazione «Tuareg» ed è stato varie volte condannato: nel 2001 il procuratore generale della Repubblica di Reggio Calabria, determinava la pena da eseguire in anni 8, mesi 1 e giorni 11. Inoltre le forze di polizia lo ritenevano «inserito a pieno titolo nel clan mafioso denominato Speranza-Palamara-Scriva che da tempo è contrapposto nella cruenta e sanguinosa faida di Africo-Motticella, che ha provocato circa 50 vittime, a quella del Mollica-Morabito, entrambe attive in Africo e zone limitrofe».

Nella Asl di Locri ha lavorato anche Giuseppina Morabito, medico, figlia di Giuseppe, meglio noto come «Tiradrittu», arrestato nel febbraio 2004 mentre era in compagnia di Giuseppe Pansera, genero di «Tiradrittu» e marito di Giuseppina Morabito.

Tra il personale medico 13 persone hanno precedenti penali, frequentazioni con pregiudicati oppure parentele con noti esponenti mafiosi. Tra queste Francesco Nirta di San Luca, figlio di Antonio Nirta capo dell'omonima cosca, Giuseppe Baggetta, che ha come cognato Giuseppe

---

13. *Ibidem.*

Commisso; Giovanna Morabito coniugata con Giovanni Antonio Bruzzaniti, implicato in vicende di 'ndrangheta, e sorella di Salvatore Morabito, anche lui «ritenuto vicino alla cosca mafiosa Morabito-Bruzzaniti-Palamara capeggiata da Giuseppe Morabito, alias Tiradrittu.»

Le 'ndrine potevano contare anche su 29 persone che facevano parte del personale amministrativo e che avevano precedenti penali o erano in rapporti familiari con noti 'ndranghetisti. Una nutrita rappresentanza: Alessandro Floccari, figlio di Alfredo, considerato il capo della cosca e fratello di altre sei persone pregiudicate e collegate prima ai Cataldo e ora alla famiglia Cordì; Alessandro Marcianò, attualmente sotto processo perché considerato il mandante dell'assassinio del vicepresidente del Consiglio regionale Francesco Fortugno; Francesco Giorgi, figlio di Antonio Giorgi di San Luca, noto come «u ciceru», alleato con i Nirta e accusato di essere il mandante del duplice omicidio in danno del Sovrintendente della Polizia di Stato Salvatore Aversa e della moglie Lucia Precenzano, avvenuto a Lamezia Terme il 4 gennaio 1992.

Anche la scelta dei medici esterni seguiva la medesima logica sin qui descritta, e dunque anche tra di loro c'era una folta schiera di persone con precedenti penali o strettamente imparentati con 'ndranghetisti. Si può dire che tutte le principali 'ndrine attive nei comuni della zona avessero più di un rappresentante dentro la struttura ospedaliera o presente nelle convenzioni da essa stipulate oppure nelle gare d'appalto.

Scrive infatti la Commissione Basilone che «la presenza all'interno della Asl di personale, medico e non, legato da stretti vincoli di parentela con elementi di spicco della criminalità locale o interessati da precedenti di polizia giudiziaria per reati comunque riconducibili ai consolidati interessi mafiosi, ha permesso di verificare non solo la presenza di un "contatto" tra le organizzazioni malavitose e l'Azienda, bensì una vera e propria "infiltrazione" in quest'ultima... Il quadro che emerge fa ragionevolmente presumere che forze mafiose locali si siano infiltrate nell'area dell'istituzione sanitaria, e sovrapponendosi ai rispettivi organi abbiano potuto minacciare la serenità nelle scelte decisionali di fondo in modo tale da non poterle più ritenere riconducibili all'autonoma e consapevole volontà dell'Azienda Sanitaria.»

Insomma, non erano gli organi istituzionali e legali dell'Asl a decidere, ma le 'ndrine che avevano occupato, anche fisicamente, le strutture sanitarie, pubbliche e private, ricadenti sul territorio dell'Asl 9 di Locri. Ma per farlo c'era bisogno di una politica cieca, sorda, muta, succube o compiacente. Molto più probabilmente, è stata semplicemente complice.

6. Villa Anya. L'onorata Sanità

Villa Anya è una clinica privata nella disponibilità di Domenico Crea, anche se la proprietà della stessa, secondo il Gip di Reggio Calabria, è stata attribuita «fittiziamente» alla moglie e ai figli, «al fine di eludere le disposizioni di legge in materia di prevenzione patrimoniale». Per questa clinica l'onorevole Crea ha fatto di tutto. Innanzitutto, per dargli vita, ha investito grandi quantità di soldi.

Secondo la Guardia di Finanza risulta un «versamento da parte del Crea in data 15.11.2001 di denaro in contante sul conto intestato ai genitori dello stesso presso la filiale del Banco di Napoli di Melito Porto Salvo di una somma pari a complessive lire 1.195.000.000 (un miliardo e centonovantacinque milioni)». A distanza di un mese i soldi transitarono direttamente sul conto che era nella disponibilità sua e della moglie. È una somma notevole, ancor più se versata in contanti. Da dove arrivano i soldi all'onorevole Crea? In quanto tempo e come li ha guadagnati? Interrogato dai magistrati spiega che erano un regalo di parte paterna e aggiunge che «il padre non ha mai intrattenuto rapporti bancari e postali e pertanto ha sempre conservato il denaro contante in casa dentro il materasso». Crea lo dice non in una cena conviviale tra amici ma di fronte ai magistrati che lo indagavano «per associazione per delinquere, truffa aggravata, corruzione e peculato».

Si può immaginare lo stupore di quei magistrati, ma soprattutto – se le parole di Crea fossero vere – si può immaginare l'ansia dei genitori, le accortezze prese per non lasciare incustodito quel tesoro, per evitare che ladri d'ogni risma potessero inavvertitamente trafugare tutto quel denaro in contanti.

Le affermazioni di Crea appaiono «grottesche» agli stessi magistrati. Sono ritenute inverosimili e piene di contraddizioni. Scrive il Gip di Reggio Calabria: «Le modalità di versamento non risultano chiare né risulta chiaro chi ha portato i soldi in banca». L'impiegato della banca Micalizzi infatti dichiara che il denaro fu portato in banca dal direttore dott. Postilotti unitamente al dott. Crea Domenico che giunsero «con due borse contenenti il denaro.» L'impiegato Liserra dice che Domenico Crea «è solito effettuare le proprie operazioni bancarie riservatamente nell'ufficio di direzione». La madre dell'indagato, Annunziata Marrari afferma che: «un giorno del mese di dicembre accompagnata da mia figlia Filomena Crea, mi recai al Banco di Napoli con i soldi contenuti in due borse. Mio figlio Domenico Crea non era presente». La sorella dell'indagato Filomena Crea dichiara «quel giorno ho accompagnato mia madre all'ingresso del Banco di Napoli, quindi lei è entrata e io sono rimasta in macchina.» Infine il direttore Postilotti ha dichiarato al Pm che «il 15 novembre 2001 accompagnato dall'on. Domenico Crea e da un altro signore a me sconosciuto, mi sono recato a casa dei genitori del Crea e ivi constata la presenza della sorella del Domenico Crea ho espletato le formalità relative all'apertura del conto... La signora Annunziata Marrari ha aperto un armadio che si trovava nella camera da letto prelevando due borse contenenti il denaro che intendevano versare». A ciò si aggiunga che la madre dell'indagato mostra di non sapere che l'intera somma è stata trasferita sul conto del figlio Domenico Crea.

Infatti, la signora Marrari, in data 15 e 16 luglio 2002 dichiara che: «i soldi si trovano nella mia disponibilità tranne un'esigua parte prelevata da mio figlio Domenico Crea a mezzo di assegno bancario». Tali dichiarazioni quindi vengono a distanza di molti mesi (circa otto) dal versamento dell'assegno di lire 1.195.000.000 sul conto dell'indagato Domenico Crea (versamento avvenuto l'11 dicembre 2001) e la formale proprietaria di quel denaro è all'oscuro di tale non irrilevante circostanza. Ma, al di là della modalità con cui è stato aperto il conto, ci sono alcune circostanze che non convincono i giudici reggini i quali sono persuasi che non può «ritenersi credibile che tale ingente mole di denaro fosse conservata "in casa dentro il materasso", come dichiarato dall'indagato Domenico Crea, per i seguenti motivi: 1) i genitori del Crea avrebbero irragionevolmente rinunciato a rendere fruttifero il denaro contante con conseguente perdita del potere di acquisto per effetto della svalutazione monetaria; 2) la vendita degli appezzamenti di terreni risale anche agli anni Sessanta e pertanto non è verosimile che i genitori del Crea abbiano conservato in casa banconote ormai non aventi più corso legale per oltre quarant'anni; 3) il 15 novembre sono state depositate al Banco di Napoli un'inusitata massa di banconote dal taglio di 500.000 lire e tali banconote hanno avuto corso legale soltanto a partire dal settembre 1997. Ebbene, i genitori del Crea non hanno venduto alcun bergamotto dopo l'anno 1997 pertanto il possesso di quelle banconote non può collegarsi a quella vendita; 4) l'ingente somma di denaro è confluita tutta nella disponibilità dell'indagato Domenico Crea con completa obliterazione quindi delle ragioni ereditarie della sorella Filomena Crea. Infatti se il denaro era effettivamente di proprietà dei genitori del Crea non doveva essere diviso in parti uguali dagli eredi? 5) Nella conversazione telefonica dell'11 luglio 2002 intercettata, il commercialista del Crea riferisce al difensore del Crea che i versamenti di denaro contante li ha fatti proprio Domenico Crea».[14]

Nulla si sa del comportamento della banca in questione. Probabilmente è stato lo stesso della quasi totalità delle banche del Sud e del Paese: non vedono, non sentono, non denunciano le operazioni sospette. Impedendo così, attraverso comportamenti omertosi, l'affermarsi di meccanismi di trasparenza della finanza e dell'economia.

Quando la magistratura reggina, con l'operazione che efficacemente è stata definita «Onorata Sanità», si è occupata del modo in cui era gestita e di come erano stati procurati i finanziamenti e gli accreditamenti presso la Regione Calabria, è venuto fuori un quadro di estremo degrado e allarme non solo per lo stato della Sanità, ma anche per l'intreccio tra 'ndrangheta e politica, tra cosche e rappresentanti istituzionali di un certo rilievo, come il coinvolgimento del consigliere regionale in carica Domenico Crea.

7. Le intercettazioni di Crea

Da tutta la vicenda emerge un orribile grumo di intrecci perversi tra interessi illeciti e mafiosi che condizionano tutto il sistema della Sanità a livello locale, mentre a livello regionale sono coinvolti sia i dirigenti dell'assessorato alla Sanità, sia Giovanni Luzzo, all'epoca assessore alla Sanità

---

14. Gip/Gup Reggio Calabria, N° 1272/07 R.G.N.R.D.D.A.

della Giunta Chiaravalloti. Questa commistione determina danni non solo all'economia e alle istituzioni, ma danni concreti anche alla salute dei degenti, alcuni dei quali sono stati lasciati morire da quello che i magistrati definiscono «sistema Crea». Uno squarcio impressionante del modo di fare politica in Calabria, di come si fanno le elezioni, si raccolgono i voti e di come si fa fortuna con una politica ridotta ad affare privato, piegata agli interessi personali.

C'è una conversazione intercettata su una Suzuki tra Domenico Crea e Antonino Roberto Iacopino, già direttore sanitario di Villa Anya, nella quale il primo spiega al secondo la sua filosofia di vita politica e gli illustra la graduatoria perché il suo interlocutore possa ben comprendere l'effettivo peso relativo alla capacità di spesa finanziaria dei vari assessorati regionali. È una conversazione illuminante e una lezione sull'uso e l'utilità «privata» della gestione della cosa pubblica: «la Sanità è prima, l'agricoltura e forestazione seconda, le attività produttive terza; in ordine... in ordine di... dai, come budget... 7000 miliardi... 7000, seguimi, con la Sanità... [inc]... 7000 miliardi... 3 miliardi 360 milioni di euro hai ogni anno sopra il bilancio della Sanità... ora si sta facendo con il contributo 2007-2006 di entrare con la Sanità anche sui servizi sociali, cioè e ti prendi un'altra bella fetta di conti... [inc]... – e ti prendi... [inc]... quindi pensa tu da 7000 arrivi a 8000, 9000... miliardi. Agricoltura e forestazione assieme ci sono 4500 miliardi l'anno da gestire... attività produttive eccetera... [inc]... hai quasi, scarso, 4 miliardi, 3 e 9, 3 e 8». Questo fiume di denaro è gestito in prima persona dall'assessore perché, come afferma Crea, «c'è o non c'è il presidente... [inc]... (si accavallano le voci) perché la delega è tua, quindi tu sei responsabile di tutto, dalla programmazione alla gestione.»

Ecco spiegato con estrema crudezza l'importanza che veniva conferita all'assessorato alla Sanità rispetto ad altri assessorati di spesa.

Secondo i magistrati si trattava di: «una graduatoria degli assessorati più proficui in base al *budget* finanziario da gestire e da accaparrare in larga parte per sé e per la cerchia dei propri amici, accompagnata dall'irrisione per chi vive di stipendio e chi si accontenta della "modesta" retribuzione di consigliere regionale e dall'assicurazione di avere già reso miliardari tutti i più stretti collaboratori».

E infatti al suo interlocutore Crea diceva: «il più fesso di loro è miliardario... e ti ho detto tutto...» Crea aveva fatto ricchi gli altri, i suoi collaboratori, se ne vantava e spiegava come, potendo ritornare a fare l'assessore, il sistema avrebbe potuto riprendere a funzionare come prima: «volete ragionare con le teste e dire creiamo una struttura dove il settore "x" se lo segue "A"... [inc]... perché dopo tu hai bisogno di quelli che vanno a vendere... (...) quell'altro si prende quell'altro impegno e fa... cioè uno fa una cosa uno fa un'altra, va nelle Asl e gestisce la... tu vai nelle cose... tu hai bisogno almeno di 4 o 5 che siano con te, operatori, cioè manovalanza cioè nelle... braccia, questo un settore, quello un altro, quello un altro, perché ogni assessorato hai almeno almeno 5, 6 settori da sviluppare, uno se lo prende uno e un altro, sempre sugli indirizzi che do io... qualcuno segue questa linea quell'altro segue quell'altra, l'altro segue quell'altra (...) sono stato chiaro? oppure parlo arabo io?»[15]

Commenta il Gip di Reggio: «A fronte di prospettive di profitti di enorme portata, l'indennità di consigliere regionale (pur da tanti ritenuta scandalosamente alta) appare, agli occhi di Crea, irrisoria e ridicola: "ma quando hai me, cretino, tu che puoi fare? ti prendi i 10.000 euro di consigliere?"»

La torta è di dimensioni ben più rilevanti che non quella assicurata dallo stipendio del Consiglio regionale, quasi un reddito da pezzenti senza l'integrazione prodotta dal sistema di corruzione collegato alla funzione istituzionale. Era l'indotto quello che contava, la gestione che produceva l'affare di grande dimensione finanziaria, che determinava elevati redditi; e che redditi, se l'ultimo dei collaboratori di Crea era diventato miliardario.

Ma non c'è solo un grumo di interessi personali o clientelari che sorregge l'attività di Crea: le indagini hanno fatto emergere il legame con la 'ndrina dominante della zona, quella dei Morabito-Zavettieri di Africo e Roghudi, alleata dei Cordì di Locri e dei Talia di Bova Marina. Essa esercitava il suo potere sul territorio «procurando voti – in occasione di consultazioni elettorali e segnatamente, da ultimo, l'elezione dei componenti del Consiglio regionale della Calabria del maggio 2005 – a favore di determinati esponenti politici considerati "di fiducia" dall'associazione, impedendo o comunque ostacolando il li-

---

15. Gip/Gup Reggio Calabria, N° 1272/07 R.G.N.R.D.D.A

bero esercizio del diritto di voto anche mediante la promessa di benefici economici (in particolare la garanzia di posti di lavoro) conseguenti alla scelta del candidato da votare» e tentando di collocare «in ruoli politico-amministrativi verticistici soggetti contigui alle cosche in grado di soddisfare mediante la propria attività istituzionale, amministrativa e privata le promesse fatte ai fini dell'elezione e soprattutto di realizzare gli interessi economici diretti delle cosche.»

La prima questione che balza agli occhi è il fatto che la 'ndrina dei Morabito aveva intenzione di scegliere un proprio candidato su cui far convergere i voti e farlo eleggere. Giuseppe Pansera era stato esplicito con un suo interlocutore parlandogli «di dieci locali che noi possiamo attingere voti», e poi decidere chi «possiamo appoggiare per vedere nella Regione, per avere a uno che ci possa garantire di qualche cosa, ma nella peggiore delle ipotesi qualche lavoro.» L'obiettivo era quello di far assumere al consigliere eletto con i voti delle 'ndrine l'assessorato alla Sanità, quello più promettente sul piano economico.

«Il soggetto che risulta costituire il coagulo delle aspirazioni dei clan si identifica in Domenico Crea, consigliere regionale sin dal 1995, nominato ripetutamente assessore in una pluralità di settori e già in precedenza investito di altre cariche istituzionali.»

Della struttura politica di Crea faceva parte Giuseppe Marcianò su suggerimento del padre Alessandro, imparentato con i Morabito e i Bruzzaniti, nonché uomo vicino ai Cordì e compare d'anello di Cosimo Cordì. Il sostegno avuto in campagna elettorale da alcuni soggetti dà il quadro di una scelta ben precisa di Crea. Analizzando il voto di preferenza emerge «il risultato di Africo, Roghudi, Roccaforte e Melito Porto Salvo/Montebello Ionico (cosche Morabito/Zavettieri), ma anche S. Lorenzo e Condofuri (zona dei Candito e Brizzese)». Le famiglie mafiose, in qualche modo collegate alla cosca Morabito – Talia, Iamonte, Zavettieri, Cordì – hanno sostenuto Crea. Panzera poteva dire, a ragion veduta: «Il Comune di Africo quindi lo gestiamo noi!»

Dunque Crea, secondo gli inquirenti, è uomo delle 'ndrine, anzi espressione dell'accordo di cartello fra le cosche dominanti della fascia ionica reggina, è uomo che le 'ndrine scelgono come candidato nella speranza che la sua elezione possa loro tornare utile soprattutto se all'elezione seguirà la «conquista» dell'assessorato alla Sanità. Lo scontro politico, alla vigilia della consultazione elettorale regionale e dopo l'esito imprevisto della mancata elezione di Crea e della sorprendente elezione di Francesco Fortugno, si concentra così attorno a questi interessi.

Prima dell'elezione era in ballo l'accreditamento della clinica Villa Anya, fatto certo rilevante per il futuro economico della struttura e dello stesso Crea. E infatti, dalle intercettazioni telefoniche fondanti l'inchiesta, emerge che nel gennaio 2005 Luigi Meduri, all'epoca deputato della Margherita «mirando a stimolarne la competizione, aveva segnalato come l'eventuale vittoria del rivale Fortugno avrebbe potuto comportare che venisse "sdirrupata" la clinica: "dopo tutto questo bordello, se arriva prima

Modugno[16] ti sdirrupa la clinica!" chiarendo l'importanza della posta in palio per Crea, ed evidentemente non solo per lui.»[17]

8. Il sistema Crea

Per raggiungere l'obiettivo si era messo in moto il «meccanismo Crea», come lo definisce il Gip di Reggio, un vero e proprio «sistema fatto di pressioni, relazioni, favori, attuato principalmente dallo stesso Crea Domenico e dal figlio Antonio, al fine di ottenere le autorizzazioni necessarie all'accreditamento della struttura sanitaria». Il sistema fa pressioni sui funzionari del Dipartimento Sanità della Regione Calabria e dell'Asl 11 di Reggio Calabria i quali arrivano persino a falsificare atti preparatori di delibere. Anche medici e infermieri del presidio ospedaliero di Melito Porto Salvo e di Villa Anya sono spinti a commettere reati «che vanno dalle false attestazioni su certificazioni mediche relativi a decessi, all'omissione di soccorso, all'omicidio colposo e/o morte in conseguenza di altro delitto, e alla truffa ai danni dello Stato». Il risultato di questo «lavorìo», secondo i giudici, è il fatto che la concessione dell'accreditamento della struttura privata con il Servizio Sanitario Nazionale ha «seguito canali di assoluto privilegio e palesi sono le irregolarità che vengono rilevate».

---

16. Modugno era il nomignolo che l'on. Meduri aveva dato all'on. Fortugno per la sua supposta rassomiglianza con il noto cantante.
17. Gip/Gup Reggio Calabria, N° 1272/07 R.G.N.R.D.D.A.

Si prestano allo scopo Pietro Morabito, direttore generale dell'Asl di Reggio Calabria, Domenico Latella e Santo Emilio Caridi, rispettivamente direttore amministrativo e sanitario. Con una rapidità inconsueta, in data 8 novembre 2004, la Commissione per i requisiti minimi «inviava al direttore sanitario, al direttore Dipartimento Territoriale, al responsabile U.O. Assistenza Invalidi di Melito Porto Salvo, l'esito dell'esame della documentazione fornita e del sopralluogo effettuato per valutare il possesso dei requisiti della struttura Villa Anya, dichiarando che la stessa era in possesso dei requisiti minimi strutturali e tecnologici generali e specifici per una residenza sanitaria assistenziale con 60 posti letto di cui 20 medicalizzati e annesso ambulatorio di riabilitazione per 36 prestazioni». Tre giorni dopo, «con atto deliberativo n. 428, Guido Sansotta, direttore generale dell'Asl n. 11, sulla base del parere favorevole espresso da Domenico Pangallo, direttore del dipartimento Territoriale, da Pietro Morabito, direttore amministrativo, e da Santo Emilio Caridi, direttore sanitario, esprimeva a sua volta parere favorevole all'esercizio per la residenza sanitaria assistenziale Villa Anya per complessivi 60 posti letto distinti in n. 40 per anziani e n. 20 in trattamento di tipo medicalizzato con annesso ambulatorio di riabilitazione. Il tutto in presenza delle irregolarità formali e sostanziali caratterizzanti l'operato della Commissione per i Requisiti Minimi già evidenziate al punto precedente, e altresì all'esito di una pluralità di contatti telefonici e personali con il Domenico Crea, nel corso dei quali venivano concordati tempi, modi, contenuto e requisiti documentali degli atti deliberativi da redigere».[18]

Contatti personali e molto intensi che proseguono anche con l'assessore regionale Giovanni Luzzo che, come confermano numerose ed esplicite telefonate, concorda direttamente con Crea il provvedimento da emettere. «L'assessore Luzzo indica al Crea le persone a cui rivolgersi all'interno del Dipartimento alla Sanità, rassicurandolo che saranno preventivamente contattati da lui stesso e che comunque nel momento in cui sarà in ufficio "se la vede lui", lasciando evidentemente intendere al Crea, ancor prima di aver esaminato la relativa documentazione, che per il rilascio del decreto di autorizzazione all'esercizio di Villa Anya non incontrerà nessun ostacolo.» Per queste ragioni, il problema di Crea non era quello di ottenere l'autorizzazione che lui dava per assodata, ma quello di ottenerla prima del 10 gennaio, «perché lui ha deciso di inaugurare per quel giorno e quindi anche il Dipartimento alla Sanità della Regione si deve adeguare in tal senso.» E lì, all'assessorato regionale alla Sanità, c'era Giuseppe Biamonte che alle richieste di Crea rispondeva con un ossequiente quanto esplicito: «agli ordini».

L'autorizzazione al funzionamento di Villa Anya non arrivò il 10 gennaio, ma tre giorni dopo, il 13 gennaio 2005, con decreto n° 169. In due mesi e cinque giorni s'era risolto tutto.

Se le cose funzionassero così, se il tempo fosse sempre così breve tra la richiesta di un cittadino o di un impren-

---

18. Gip/Gup Reggio Calabria, N° 1272/07 R.G.N.R.D.D.A.

ditore e la risposta delle istituzioni e della Pubblica amministrazione, la Calabria avrebbe avuto e avrebbe un altro volto, a partire dalla perdita di ruolo della 'ndrangheta, che spesso si caratterizza anche per la funzione di mediazione sociale o di pressione sulle istituzioni stesse.

Nel caso di Villa Anya la risposta in tempi rapidi c'è stata. Ma era una risposta viziata da documenti falsi e dallo spregevole meccanismo corruttivo che abbiamo visto.

La questione più agghiacciante è leggere le parti dell'ordinanza che riguardano i degenti, soprattutto quelli molto anziani, abbandonati, non curati o curati con prescrizioni fatte per telefono, lasciati morire per imperizia o negligenza o addirittura trasportati già morti al pronto soccorso dell'ospedale di Melito Porto Salvo perché in clinica non dovevano risultare decessi di alcun tipo. Il disprezzo assoluto, totale, della vita umana e del dolore della povera gente è il prodotto ultimo, il più perverso e odioso, del grumo di potere e dell'intreccio politico-mafioso che emerge dalla vicenda di Villa Anya.

Si può fare un solo esempio, tra i tanti, per mostrare il cinismo e lo sprezzo per la vita delle persone. A parlare, intercettati, sono la moglie del dottor Antonio Crea, figlio di Domenico, e un'infermiera, una certa Patrizia. C'è una paziente che sta molto male e il dottor Crea non era reperibile. Ecco la trascrizione:

Patrizia: e... la signora arted si sente malissimo...
Laura: malissimo in che senso? Che si deve chiamare il 118?
Patrizia: pressione bassissima, non respira, non connette, non risponde agli stimoli...

Laura: umh.
Patrizia: c'è bisogno di un dottore.
Laura: eh... eh lo so, solo che non prima di dieci minuti...
questo è il problema Patri...
Patrizia: va bene, intanto la facciamo fuori noi, ciao.
(Patrizia passa il telefono a Demetrio).
Laura: ...(ride)... ciao aspetta che... (ride)...

Ogni commento è superfluo. Rimane solo la pietà per la vittima e l'indignazione per il cinismo e l'indifferenza di chi avrebbe dovuto accudirla e curarla.

Ma tutta la vicenda impone alle istituzioni, ai partiti e alla politica più in generale, una riflessione radicale e di fondo sul sistema di potere costruito negli anni attorno alla Sanità e su come esso, alla fine, diventi inamovibile, creando al suo interno le condizioni per la sua riproduzione e autoriproduzione.

Per fare di Villa Anya una gallina dalle uova d'oro, Crea fa istruire la pratica dalla giunta regionale guidata da Chiaravalloti, del centrodestra, ma riceve l'accreditamento, che viene firmato solo dopo sei giorni dall'omicidio Fortugno, dalla giunta regionale di centrosinistra guidata da Loiero. L'uomo chiave del sistema e il punto di «garanzia» dell'operazione nella macchina sanitaria regionale è Giuseppe Bevilacqua, dirigente della Sanità a Reggio Calabria con il governo di centrodestra e promosso, poche settimane prima del suo arresto, dirigente della Sanità a Catanzaro dalla giunta di centrosinistra. Solo dopo gli arresti la giunta Loiero ha azzerato i vertici della Sanità calabrese, dimostrando come la politica non riesca ad arri-

vare prima della magistratura, pur disponendo di propri
autonomi elementi di valutazione in grado di fargli compiere autonome scelte di trasparenza e legalità.

Questo meccanismo, apparentemente autonomo nella
sua autoriproduzione e nella sua continuità, rappresenta l'altra faccia di una politica che ha perso autonomia e trasparenza per dipendere, essa stessa, dallo scambio tra gestione
della spesa sanitaria e consenso che rappresenta il punto più
alto del degrado politico e morale che investe la Calabria.

9. Il caso Vibo: un triste record

Anche a Vibo la Sanità ci offre uno spaccato del degrado
provocato dal controllo mafioso, intrecciato con le collusioni politiche, sull'intero ciclo della salute.

Da tre anni, l'ospedale di Vibo Valentia conquista cicli-
camente le cronache nazionali per le morti sospette. In
realtà, leggendo le dinamiche e le responsabilità ricostruite
dall'Autorità giudiziaria, si tratterebbe di veri e propri omicidi, le cui responsabilità non possono restare impunite.

Del resto basta scorrere il rapporto dei Nas, riferito dal
ministro della Salute in Commissione Sanità al Senato l'11
dicembre 2007, a seguito di un'ulteriore tragico caso, per
cogliere le gravi responsabilità: «numerose sono le irregolarità nelle unità operative del presidio ospedaliero di Vibo
Valentia, in particolare nelle unità operative di nefrologia e
dialisi, chirurgia d'urgenza, chirurgia generale e blocco
operatorio, malattie infettive, ginecologia e ostetricia, riani-
mazione e terapia intensiva, neurologia, endoscopia, otori-

nolaringoiatria, pediatria, medicina generale, cardiologia e farmacia. Anche la mensa presenta numerosi deficit». Così le verifiche dei Nas. C'è da chiedersi cos'altro rimanga dell'ospedale. Lo spiegano sempre i Nas: «risultano invece nella norma le unità operative di oculistica e diagnostica». Malasanità e non solo. Vibo rappresenta da anni una realtà fortemente segnata da un forte controllo mafioso del territorio, delle sue attività economiche, dei suoi apparati pubblici e amministrativi. La cosca egemone, diventata potente anche su scala nazionale e internazionale, il clan dei Mancuso, ha conquistato negli anni una supremazia assoluta, scalzando anche le altre famiglie storiche costrette ad un'accettata subalternità. Tra queste quella dei Lo Bianco, da sempre egemone nel capoluogo e impegnata, negli ultimi anni, a recuperare un ruolo più autonomo.

Il modo scelto per raggiungere questo obiettivo è quello di assumere una posizione più significativa in campo economico. Avere più soldi significa acquisire potere e capacità di relazioni sociali e politiche.

L'intrapresa non poteva che cadere sul campo della Sanità, dagli appalti per l'edilizia ospedaliera e le forniture, sino ai servizi e al controllo dell'amministrazione.

Una relazione della Guardia di Finanza, realizzata per l'Alto commissario per la lotta alla corruzione,[19] e dese-

---

19. Guardia di finanza, Comando nucleo speciale tutela Pubblica amministrazione, Indagine conoscitiva nei confronti dell'Azienda sanitaria n. 8 di Vibo Valentia. Il documento è pervenuto alla Commissione in data 24 aprile 2007 dall'Alto commissario per la prevenzione e il controllo della corruzione e delle altre forme di illecito nella Pubblica amministrazione.

cretata nel febbraio 2008 per iniziativa di questa Commissione parlamentare, ne svela il meccanismo, mettendo a nudo un vero e proprio sistema «interno e parallelo» alla legittima gestione istituzionale.

L'appalto più rilevante e più importante è stato quello per la costruzione del nuovo presidio ospedaliero di Vibo Valentia, aggiudicato a un'impresa pugliese. L'intera documentazione è stata posta sotto sequestro dalla Procura della Repubblica di Vibo che, nel settembre 2005 nel quadro dell'operazione «Ricatto», ha indagato su alcuni episodi di corruzione, ha emesso numerosi avvisi di garanzia e ha proceduto al sequestro del cantiere dove si stava costruendo il nuovo ospedale. La magistratura vibonese è convinta che siano state versate tangenti per 2.165.000 euro.

L'ipotesi d'accusa è che in cambio delle tangenti i funzionari dell'Asl abbiano pilotato l'appalto facendo in modo che ad aggiudicarsi lo stesso fosse il consorzio pugliese. Ma in una terra come il vibonese, in cui la 'ndrangheta è inserita in tutte le pieghe sociali, la tangente si trascina dietro ben altro e rappresenta l'anticamera per l'ingresso della 'ndrina nel mondo della Sanità.

L'indagine ha coinvolto il direttore generale e il commissario straordinario che erano stati alla guida dell'Asl negli ultimi anni e, a vario titolo, molti altri soggetti. In particolare, stando alla prospettazione della Guardia di Finanza che, è bene precisarlo, è ancora allo stato investigativo, sarebbero coinvolti: Giovanni Luzzo, ex assessore regionale alla Sanità; Giuseppe Namia, direttore Pou (Presidio Ospedaliero Unico) già segnalato nel 1994 per il reato di cui all'art. 416-*bis* e per reati contro la Pubblica amministrazione; Armando Crupi, direttore generale Asl pro tempore; Giorgio Campisi, intermediario di esponenti partito Udc e Democratici di Centro; Enzo Fagnani, intermediario di esponenti partito Udc e Democratici di Centro; Santo Garofalo, commissario straordinario Asl pro tempore; Domenico Liso, legale rappresentante del Consorzio; Olimpia Lococo, presidente commissione aggiudicatrice; Domenico Scelsi, legale rappresentante del Consorzio; Fausto Vitello, responsabile del procedimento; e poi altre tre persone che facevano parte della commissione aggiudicatrice.

Successivamente il consorzio appaltava i lavori alla Ditta Ediltrasport dei F.lli Evalto s.a.s. con sede a Vibo Valentia.

Come per l'Asl di Locri il copione si ripete: nessuno, dall'interno dell'amministrazione, ha pensato di richiedere la certificazione antimafia, così l'autorizzazione a svolgere i subappalti è stata successivamente revocata dalla Prefettura per «informazioni antimafia interdittive nei confronti dell'impresa.»

Ma è utile conoscere anche i rapporti, le relazioni familiari e le «qualità» personali di alcuni degli uomini chiave sia del sistema delle imprese che del meccanismo di gestione dell'appalto.

Il legale rappresentante della Evalto s.a.s. è Rocco Evalto, originario di Seminara e residente a Vibo, «condannato nel 1979 per porto abusivo di armi e segnalato per i reati di attività e gestione rifiuti non autorizzata nel 2001». Uno dei fratelli Evalto, Antonino, ha sposato Rosy Lo Bianco, figlia di Carmelo Lo Bianco. I fratelli Evalto sono figli di Domenico Evalto, appartenente alla cosca Anello-Fiumara. Secondo i militari della Guardia di Finanza «la citata società, sulla base di accordi pregressi con il Consorzio risultato vincitore dell'appalto, avrebbe dovuto realizzare l'intera opera del nuovo presidio ospedaliero di Vibo Valentia».

Il meccanismo, partito con una tangente, è ben presto scivolato nell'ingresso della 'ndrangheta nella assegnazione e nella gestione dei sub appalti dei lavori per l'ospedale.

I lavori edili e di ristrutturazione dell'Asl nei vari settori sono stati effettuati con il ricorso al sistema dei «lavori in economia» secondo la decisione della Direzione amministrativa del presidio ospedaliero.

Anche questo è un meccanismo classico assieme a quello di spezzettare l'appalto, per evitare l'iter e i vincoli di trasparenza previsti da una normale gara con tanto di bando pubblico.

Di conseguenza i lavori sono stati eseguiti in più lotti «disattendendo gli obblighi della normativa che vieta di assegnare a trattativa privata, in tempi successivi, lotti appartenenti alla medesima opera.» Grazie a questo sistema, secondo la Guardia di Finanza, «si sono alternate, nell'affidamento degli appalti, diverse ditte, nel senso che si è notato come se esistesse un disegno "spartitorio" in attuazione del quale taluni appalti venivano aggiudicati a determinate ditte, risultando aggiudicatari di altri appalti le altre che già avevano partecipato, senza successo, ai precedenti, laddove la ditta precedentemente vincitrice effettuava un'offerta, per la stessa tipologia di lavoro, notevolmente superiore e pertanto palesemente non concorrenziale, consentendo, in tal modo, alla ditta che era risultata soccombente nella precedente gara di aggiudicarsi quella successiva.»

Tra le società che hanno eseguito i lavori – secondo la GdF – c'era la ditta di Francesco Antonio Fusca il quale «risulta essere stato segnalato nel 2003 per i reati di associazione a delinquere, emissione di fatture per operazioni inesistenti e nel 2004 per i reati di indebita percezione di erogazioni a danno dello Stato e truffa aggravata per il conseguimento di erogazioni pubbliche». E, tra i componenti della Commissione aggiudicatrice, c'era lo stesso direttore dei lavori che risulta essere stato, tra gli altri, Giuseppe Namia, in precedenza ricordato.

Interessante è lo svelamento di tutta la gestione delle forniture e dei servizi dell'Asl.

L'appalto concorso per il servizio di ristorazione della casa di cura per gli anziani di Vibo Valentia e quello per tutti i presidi ospedalieri dell'Asl di Vibo (Vibo, Tropea, Soriano e Serra San Bruno) era stato affidato alla Onama e, alla scadenza dell'affidamento, riassegnato sempre alla Onama S.p.A. Ma l'Onama non è una ditta come altre: «alcuni dipendenti della Onama sono risultati legati da vincoli di parentela a soggetti appartenenti alla cosca Fiarè-Gasparro di San Gregorio d'Ippona». In particolare Francesco Coscarella la cui moglie è Caterina Fiarè, sorella di Rosario Fiarè, capo dell'omonima cosca. Insieme a lui anche Gregorio Coscarella, figlio di Francesco. Altre sei persone risultano essere nipoti di Rosario Fiarè. Insomma, i Fiarè sono ben inseriti all'interno della società Onama e, come s'è visto, molti dipendenti sono parenti diretti con il capo della 'ndrina. Praticamente l'Onama è una società dei Fiarè o, comunque, da essa pesantemente condizionata e infiltrata.

Nel corso dell'operazione denominata «Rima» che ha interessato i capi e i gregari della cosca Fiarè con l'imputazione di associazione mafiosa finalizzata all'usura, estorsione, riciclaggio, truffa ai danni dello Stato, secondo la Guardia di Finanza, «è emerso il coinvolgimento di due amministratori comunali di San Gregorio d'Ippona, comune nel quale la cosca avrebbe pesantemente condizionato l'attività comunale infiltrandosi in appalti e altre attività grazie alla diretta complicità del sindaco e del vicesindaco». La 'ndrina, inoltre, «avrebbe attuato anche una serie di estorsioni ai danni di imprenditori impegnati nella realizzazione di lavori pubblici.»

Ma le presenze delle 'ndrine non si fermano qui. Abbondanti tracce si trovano anche in altri affidamenti. La fornitura di uno «scambiatore per produzione di acqua calda» relativa all'ospedale di Tropea è stata affidata alla Teeg Italia s.r.l. La società «con oggetto sociale l'attività e installazione di impianti tecnologici ed edili è amministrata da Domenico Lo Bianco esponente di spicco dell'omonimo clan, mentre direttore tecnico della stessa società è Carmelo Lo Bianco, esponente apicale del clan». Anche la fornitura e la manutenzione dei filtri per il sistema di aria condizionata è stata affidata alla Teeg Italia.

Un altro appalto a trattativa privata è stato affidato alla Calor System s.r.l. con sede in Maierato. Di chi si tratta? Ce lo spiega sempre la Guardia di Finanza: «L'impresa vincitrice è amministrata da Vincenzo Carnevale. Direttore tecnico è il fratello Francesco marito di Lo Bianco Isabella, figlia del citato Lo Bianco Carmelo elemento apicale del Clan. Il capitale sociale è ripartito tra il predetto Carnevale Vincenzo e Angela Michienzi, coniugata con il citato Domenico Lo Bianco esponente di spicco del Clan. Da visure effettuate alle banche dati in uso al Corpo è emerso che nel 2006 nell'ambito di accertamenti patrimoniali ex art. 2 bis legge 575/65 nei confronti di Francesco Carnevale è stato accertato che il medesimo, unitamente a familiari e conviventi, ha l'effettiva e la materiale disponibilità di beni immobili risultati intestati a soggetti prestanome al fine di eludere le leggi antimafia in materia di misure di prevenzione patrimoniale. Risulta segnalato oltre a Francesco Carnevale anche Isabella Lo Bianco, Carmelo Lo Bianco, Maria Elena Lo Bianco e Nicolina Pavone».

Ovviamente un simile sistema non può limitarsi all'aggiudicazione degli appalti, necessita di un controllo della macchina amministrativa e di rapporti politici consolidati. Lo spiegano le indagini che hanno accertato «condotte delittuose» di varia entità in 16 persone: «...dirigenti di grado apicale rivestenti altissime funzioni nell'ambito della Asl che hanno favorito l'aggiudicazione di talune gare di appalto a favore di ditte manifestamente riconducibili direttamente o indirettamente ad esponenti di spicco della Criminalità Organizzata locale» come la Teeg Italia o la Calor System. Il dato di fondo è il fatto che si sono rivelati intrecci e interessi tra «i vertici dell'Asl che si sono succeduti negli anni» ed esponenti delle 'ndrine locali.

Un sistema quindi, non una contingenza momentanea

o posta in capo a pochi corrotti, con una modalità d'azione che è durata negli anni, indipendentemente dalle persone fisiche degli amministratori, tutti coinvolti, perché tutti partecipi e interessati ad uno scambio politico-affaristico che ha fatto scempio della Sanità pubblica.

Anche il bar presso l'ospedale di Tropea era gestito da un prestanome del clan La Rosa mentre molti pagamenti risultano a favore di ditte che secondo il rapporto della Guardia di Finanza sarebbero dei canali di riciclaggio del clan. Tra i dipendenti dell'Asl figurano Paolino Lo Bianco, operatore tecnico, figlio del capo clan Carmelo Lo Bianco; Gerardo Macrì, tecnico sanitario di laboratorio biomedico, la cui sorella è intestataria della discoteca Casablanca di Tropea che invece risulterebbe di Giuseppe Mancuso, al vertice della ben nota cosca egemone nel vibonese; Vincenzo Soldano, ex vicesindaco di San Gregorio d'Ippona, arrestato assieme ai Fiarè, compreso Vincenzo Fiarè anch'egli dipendente dell'Asl e, tanto per non fermarci ai confini della provincia, Francesco Michele Tripodi coniugato con Concetta Piromalli, figlia del noto Girolamo «Mommo» Piromalli. Oltre a questi, c'è un numero rilevante di soggetti tratti in arresto con l'operazione «Rima», o denunciati per vari reati, compreso quello di porto d'arma da fuoco. Altre 11 persone, assunte tramite la filiale di Lamezia Terme della società di lavoro interinale Obiettivo lavoro, risultano gravate da precedenti penali o in precedenza arrestate.

A conclusione della relazione, i militari della Guardia di Finanza hanno riassunto così quelle che hanno definito «criticità riscontrate»: «Presenza di esponenti della criminalità organizzata tra il personale dipendente di ditte giudicatrici di appalti; diffuso ricorso per gli appalti di forniture di beni e servizi alla trattativa privata e alla trattativa privata diretta, istituto che implica la partecipazione di una sola ditta invitata dall'amministrazione; frazionamento di numerosi appalti di forniture di beni e servizi, con importi risultati sotto il limite previsto per la richiesta della certificazione antimafia e sotto soglia comunitaria; ricorso, in alcuni casi, a rinnovi e proroghe di contratti in elusione degli obblighi di gara e dell'obbligo di produrre la prevista certificazione antimafia, in luogo dell'autocertificazione prodotta; aggiudicazione di appalti a rotazione tra un numero limitato di imprese, tali da far ritenere che tra le stesse potesse esistere un possibile accordo sottostante; condotta di dirigenti che, come emerso anche da atti redatti da organi investigativi e giudiziari e acquisiti per l'esame, hanno favorito l'aggiudicazione di taluni appalti a ditte riconducibili direttamente o indirettamente ad esponenti di spicco della criminalità organizzata locale; presenza di dipendenti dell'Asl assunti a tempo determinato e indeterminato, di cui alcuni appartenenti alle cosche criminali locali, altri con procedimenti penali anche in corso».[20]

Intanto, dopo questa relazione e questa indagine, nell'assenza di qualunque tipo di intervento, nell'ospedale di Vibo si è continuato a morire e parlare ancora di malasanità può servire solo a chi non vuole vedere e non vuole capire.

---

20. Rapporto GdF per l'Alto commissario anti corruzione.

Guardando l'intreccio tra degrado della Sanità pubblica e sistema di affari creato attorno alla Sanità privata, così come emerge dai fatti sinora evidenziati, non si può tacere sulle gravi responsabilità della politica calabrese.

Come si vede, la Sanità privata è esclusivamente alimentata con soldi pubblici, e ciò a fronte di un sistema sanitario pubblico ridotto a brandelli da sprechi, clientele e spartizioni tra partiti che non riguardano solo gli organismi politici o di gestione, ma si estendono dal portantino al primario, mortificando la trasparenza e la qualità professionale degli operatori sanitari. Tutto in nome di uno scambio costruito sulla gestione dei fondi pubblici, finalizzato a creare un consenso clientelare che uccide il diritto dei cittadini alla salute e alla vita.

Il fatto che attualmente l'intera gestione del sistema sanitario calabrese sia commissariata non alleggerisce questa situazione, ma la rende più drammatica e intollerabile ed evidenzia il fallimento del susseguirsi di intere gestioni politiche.

L'unica certezza è che a pagarne le spese sono solo i soggetti più deboli, sulla cui vita in Calabria si operano le peggiori speculazioni politiche affaristiche e mafiose.

10. Il caso Fortugno

Quello che ha immediatamente colpito gli investigatori intervenuti sul luogo del delitto, gli osservatori esterni, oltre che i mezzi di comunicazione, è stata la scelta delle modalità con le quali è stato compiuto l'omicidio del vicepresidente del Consiglio regionale calabrese Francesco Fortugno. Modalità altamente spettacolari, inconsuete nella storia della 'ndrangheta reggina, che nei rari casi in cui ha commesso omicidi eccellenti, ha evitato ogni spettacolarizzazione.

Tipico il caso dell'omicidio di Ludovico Ligato, ucciso di notte, nella sua villetta al mare, senza testimoni, così come l'omicidio del sostituto procuratore generale della Cassazione, Antonino Scopelliti, che avvenne lungo una strada deserta e anche in questo caso senza testimoni.

L'omicidio di Fortugno è avvenuto nell'atrio di palazzo Nieddu, seggio elettorale di Locri per le primarie dell'Unione. Il palazzo si trova in pieno centro storico e il luogo era affollato per l'afflusso degli elettori al seggio, per i giornalisti, i politici, i curiosi presenti. È il 16 ottobre del 2005 e l'ora – le 17.30 – è quella di massimo afflusso ai seggi e coincide con il passeggio domenicale lungo le vie del centro. Né si può dire che quella fosse una scelta obbligata e che gli assassini abbiano dovuto sfruttare la prima o l'unica occasione utile.

Al contrario, le indagini consentono di affermare che l'omicidio era stato pianificato da tempo, che la vittima era sotto osservazione da mesi, che era possibile compiere quel gesto in ora serale o notturna, al rientro dell'onorevole nella sua abitazione, posta in luogo centrale, ma poco illuminato, oppure in occasione dei frequenti spostamenti in macchina tra Locri e Reggio Calabria, sede del Consiglio regionale.

Gli autori scelsero con cura quel momento (il collaboratore di giustizia Novella riferisce in un passaggio delle sue dichiarazioni della fretta manifestata da Ritorto di

eseguire il delitto proprio quel giorno), pur essendo perfettamente consapevoli del clamore che ne sarebbe derivato e delle conseguenze di carattere investigativo e repressivo. Un rischio accettato in vista dell'impatto eclatante che l'omicidio doveva suscitare nell'opinione pubblica e nella vita politica calabrese. Le conseguenze furono in parte quelle volute: l'azione della Giunta regionale
risultò frenata e intimorita e lo stesso Consiglio regionale
impiegò mesi prima di procedere alla nomina del nuovo
vicepresidente.

Alla luce delle risultanze investigative si può oggi confermare l'opinione da più parti manifestata subito dopo il
fatto: si trattava di un delitto politico-mafioso, in cui la vittima fu colpita per il suo ruolo nella politica regionale e
per la mole degli interessi che premevano in vista della
formazione di nuovi equilibri.

La collaborazione di Bruno Piccolo e Domenico Novella ha consentito di individuare l'autore materiale dell'omicidio, i suoi complici, gli organizzatori e mandanti.
Tale collaborazione non è però priva di punti oscuri sui
quali occorre riflettere criticamente.

In primo luogo va sottolineato che, nel panorama di
scarsa presenza di collaboratori di giustizia provenienti
dalla 'ndrangheta, la zona della locride si caratterizza come uno dei territori nei quali il fenomeno è ancora più rarefatto. Le cosche che operano in tale territorio sono tra le
più radicate, più vicine alla tradizione, alle origini stesse
della 'ndrangheta, più fedeli ai suoi valori di fedeltà e di
omertà. Contrasta dunque con tale situazione che nell'ambito del medesimo procedimento, del medesimo ter-

ritorio, della medesima cosca, in un ambito temporale rav-
vicinato, si siano verificate due collaborazioni, dal peso
decisivo, come quelle di Piccolo e Novella.

Nell'ordinanza emessa il 19 marzo 2006 dal Gip del
Tribunale di Reggio Calabria nel procedimento 744/06
Rgnr Dda a carico di Ritorto+11, per l'omicidio Fortugno
e altri gravi reati, risulta indagato Vincenzo Cordì, esponente di vertice della cosca omonima, il quale era all'epoca detenuto in espiazione della condanna riportata per il
delitto di associazione a delinquere di stampo mafioso in
esito al processo cosiddetto «Primavera». Al Cordì fa riferimento un'informativa della Squadra Mobile di Reggio
Calabria, redatta in data 24.2.06 e recepita nell'ordinanza
citata:

«A seguito dell'esecuzione delle O.c.c.c. maturate nel
contesto della cosiddetta operazione "Lampo", Bruno
Piccolo, nato a Locri (RC) l'11 marzo 1978, intraprende-
va una fruttuosa collaborazione con la Dda di Reggio Calabria fornendo particolari rilevanti sulla struttura e sulle
attività criminose della cosca di cui faceva parte (Cordì).

«Tratto in arresto in data 14 ottobre 2006, il collaboratore rendeva le prime dichiarazioni il 6 dicembre successivo.

«In data 9 dicembre 2006, veniva censurata una lettera inviata in epoca precedente da Vincenzo Cordì proprio
a Bruno Piccolo, presso il carcere di Sulmona (AQ).

«Il contenuto della missiva del 9.12.2006, fa riferimento
all'obbligo di non collaborare e ciò al fine di prevenire la te-
muta collaborazione del Piccolo». In particolare si legge:

«Caro amico Bruno,
l'importante in questi luoghi è stare tranquilli farsi la galera con onestà rispettare tutti quelli che ti rispettano nella tua stanza fare tutto quello che ti tocca e a secondo quanto siete ognuno fa il suo, parlare poco solo quando è necessario, e sai com'è se c'è qualcuno che fa il furbo tipo ti dice con questa accusa chissà quanto galera fai, tu gli rispondi che non importa quanto galera faccio l'importante è uscire a testa alta e che la galera non ci impressiona...»

E più oltre:

«Ora caro Bruno non so in questo carcere chi c'è di calabresi ma qualcuno c'è di sicuro, se no c'è un mio caro amico che è all'A.I.V. e si chiama Filippo è di Reggio se hai modo manda i miei saluti che se può fare qualcosa lo fa, comunque vedi che se hai bisogno di qualcosa o hai qualche problema me lo fai sapere subito.»

Il Filippo cui si fa riferimento nella missiva si identifica in Filippo Barreca, nato il 9.10.1956, elemento di spicco della criminalità organizzata collegato alla cosca De Stefano, anch'egli recluso presso il carcere di Sulmona (AQ).

Ulteriore lettera degna di menzione è quella inviata dal medesimo Vincenzo Cordì a Domenico Novella, suo nipote, coindagato nel medesimo processo, a cui è stato contestato il concorso nell'omicidio Fortugno.

«Carissimo mio nipote Micarello.

Ti scrivo dopo aver ricevuto la tua lettera e mi compiaccio nel saperti in buona salute e che stai bene, io come ti avevo già detto quando eri a Roma avevo scritto ad un amico che era a Rebibbia e giorni fa mi è arrivata la lettera dicendomi che se la vedeva lui ma che sicuramente ti trasferivano perché a Reggina Celi non ti tenevano, cosa che poi è stato così, e così mi hanno detto i nostri che eravate partiti tutti per Sulmona ma non sapendo che invece vi hanno sparpagliato nei vari carceri, ma nell'immediatezza o scritto ad un amico che si trova li, qui o saputo che a te ti avevano portato ad Ancona e ti ho scritto anche una cartolina, ma sicuramente non ti è arrivata, io spero che la smettano con questo farti andare avanti e indietro nei vari carceri perché non so perché lo fanno e cosa vogliono, e se non vogliano farvi uscire come sarebbe giusto perché non si può fare la galera innocente come la stiamo facendo tutti, ma che almeno ti assegnino un carcere dove uno può sistemarsi, io vi auguro che ti potessero portare qui e nella sventura poter stare un po' insieme, ma io sempre spero che al più presto potrai essere a casa con la tua famiglia che era già abbastato la galera innocente che ha fatto tuo padre anche se poi gli è stata riconosciuta la sua totale innocenza cosa difficile dei nostri tribunali comunque mio caro nipote Micu (come nonno Micu), se ti dovessero tenere li vedi che nei vari sezioni ci sono molti Calabresi che ci conoscono oltre a quel ragazzo che e chiama Piromalli che me lo saluti tantissimo anche se a lui non me lo ricordo ma che ero molto amico del padre e di suo fratello Tonino poi si sono trasferiti (parole illeggibili in fondo pagina perché non fotocopiate) visti comunque con gli altri paesani ti risenti e dici a chi appartieni sia se sei li o se vai in altri posti e se ti trasferiscono me lo fai sapere subito, quando a quello che è di fronte a te nella cella e fa il pazzo o lo è per davvero lui per la sua strada e tu per la tua, tu rispetta tutti quelli che ti rispettano ne più ne meno e ora che ricordo in quel carcere se non sbaglio c'è Vicenzino di Sant'Ilario comunque ci sono tanti e come ti ho detto ti presenti e ti raccomando (anche se non c'è bisogno) stai nel tuo e quello che ti tocca di fare fai nella stanza e ognuno fa il suo se c'e qualche problema me lo fai sapere subito, spero che oggi ai fatto un buon colloquio e i tuoi genitori sono più tranquilli anche se diciamo tranquilli visto queste ingiustizie che ci fanno, ora mi avvio alla conclusione di questo mio scritto, facendoti sapere che ti penso sempre e ti voglio tanto bene con l'augurio che al più presto i saluti me li potrai mandare dalla libertà, come fai colloquio mi saluti mamma e papà e i tuoi fratelli, ti abbraccio con affetto zio Enzo Ciao ciao, vedi che oggi o fatto anchio colloquio e ti salutano i miei, ciao ciao caro nipote.»

Dal testo è fin troppo percepibile (ancorché espresso con linguaggio criptico) il tentativo di inviare a Novella un messaggio che vada al di la del significato letterale delle parole.

Con questa lettera il Cordì esibisce la considerazione di cui gode, anche all'interno degli istituti penitenziari, invitando Novella a spendere il suo nome per ottenere immediato rispetto.

Non può trascurarsi un'ulteriore singolarità: Cordì scrive le lettere proprio ai due soggetti che di lì a poco avrebbero iniziato a collaborare con la giustizia. È possibile che tale coincidenza riveli la capacità – tipica di un capo scaltro ed esperto – di riconoscere i punti deboli della propria organizzazione, ma permangono elementi di perplessità sull'intera vicenda, soprattutto se si considera che il Novella, nelle sue dichiarazioni, appare impegnato ad escludere ogni ruolo dei Cordì nell'ideazione, preparazione ed esecuzione dell'omicidio Fortugno, di cui addirittura non avrebbero avuto alcuna notizia preventiva. Novella recide ogni possibile collegamento tra l'omicidio e il contesto mafioso al quale egli stesso appartiene, concentra la sua attenzione sulla ragione elettorale di Alessandro Marcianò e omette di fornire indicazioni circa una serie di elementi poco chiari, come ad esempio i viaggi a Milano, l'arma del delitto, e altro ancora.

A Piccolo e Novella occorre comunque dare atto di avere consentito di individuare l'esecutore materiale dell'omicidio, i suoi complici e il ruolo di mandante di Alessandro Marcianò, quest'ultimo interessato alla sostituzione del Fortugno con il primo dei non eletti, Domenico Crea. Da questo punto di vista l'ordinanza emessa il 23 gennaio 2008 nel processo 1272/07 Rgnr Dda RC, denominato «Onorata Sanità», conferma la ricostruzione della Dda reggina.

Si evidenzia in questa ordinanza come il lavoro investigativo abbia consentito di fare chiarezza «…su un contesto politico-affaristico-mafioso che, nel costituire lo scenario di fondo nel quale matura lo stesso omicidio Fortugno, rende palese come la penetrazione delle organizzazioni criminali nei gangli vitali delle istituzioni pubbliche sia resa possibile e concreta dalla presenza di soggetti capaci di coagulare il consenso delle famiglie mafiose... in un'ottica di totale asservimento della funzione pubblica a rapaci e spregiudicati interessi di parte».

Rimangono però alcune perplessità che derivano dalla lettura delle dichiarazioni dei due collaboratori di giustizia più volte citati.

Le indagini hanno infatti consentito di accertare che, proprio il giorno precedente l'omicidio, Novella e tale Audino si erano recati a Milano, con andata e ritorno nell'arco delle ventiquattrore.

Il rapido viaggio compiuto alla vigilia del delitto viene spiegato dal Novella con la necessità (i cui connotati di urgenza appaiono inafferrabili) di acquistare un'autovettura. Ora, posto che il Novella e l'Audino erano al corrente del progetto criminale che si sarebbe consumato di lì a poco, appare davvero singolare che essi abbiano intrapreso quel viaggio, per far ritorno a Locri nella stessa mattina del giorno in cui l'omicidio avvenne. Sarebbe stato interessante sapere con chi i due si siano incontrati e perché, e se, per ipotesi, essi non si siano recati a Milano e dintorni per informare una o più persone di quanto sarebbe avvenuto o addirittura per chiederne consenso.

Non è ragionevole ritenere che un delitto come quello nei confronti del vicepresidente del Consiglio regionale della Calabria e, per di più, con quelle modalità di tempo e di luogo, possa essere stato eseguito da esponenti di una cosca mafiosa, senza che i vertici della stessa non fossero avvertiti, consapevoli e consenzienti.

Così come non appare pienamente credibile una ricostruzione per la quale il delitto sarebbe avvenuto all'insaputa della cosca competente per territorio e in generale all'oscuro del sistema mafioso reggino.

In tale prospettiva va conclusivamente sottolineato come, a margine della vicenda Fortugno, si collochino tre episodi inquietanti e non chiariti.

Il primo di tali episodi è il suicidio di uno dei due collaboratori di giustizia in precedenza citati – Bruno Piccolo – il quale si è tolto la vita mediante impiccagione alla vigilia del secondo anniversario dell'omicidio Fortugno. Le motivazioni rimangono tuttora oscure.

Il secondo di tali episodi è l'attentato a Saverio Zavettieri. Questi, all'epoca dei fatti assessore regionale alla cultura, fu il destinatario di un grave atto intimidatorio, con l'esplosione di una fucilata contro il vetro antisfondamento della sua abitazione a Bova Marina.

È lo stesso Zavettieri (sentito dalla Commissione in data 6 febbraio 2008) a ritenere che tra l'intimidazione a suo danno e l'omicidio Fortugno vi sia un collegamento, un nesso, costituito dall'esigenza di determinate espressioni patologiche della realtà sociale della provincia di Reggio Calabria, di ottenere diretta rappresentanza politica. Secondo Zavettieri tali componenti, cioè la zona grigia o la borghesia mafiosa, non avrebbero alcuna difficoltà a transitare da uno all'altro dei due schieramenti contrapposti che caratterizzano il sistema politico, pur di ottenere la tutela dei propri interessi. Cosa effettivamente avvenuta alla vigilia delle ultime elezioni regionali, con il passaggio – fra gli altri – dallo schieramento di centrodestra a quello di centrosinistra del già citato Domenico Crea, successivamente ritransitato nel centrodestra.

Il terzo episodio cui si faceva cenno è il cosiddetto caso Chiefari, dal quale si diffondono una serie di interrogativi, in gran parte non risolti, e una luce ulteriormente inquietante sull'intera vicenda Fortugno.

Il predetto Francesco Chiefari (il cui fermo è stato convalidato dal Gip del Tribunale di Reggio Calabria con ordinanza del 23 dicembre 2006) avrebbe collocato, a pochi giorni di distanza, all'interno degli Ospedali di Siderno prima e di Locri poi, cariche di tritolo, in grado – quantomeno la prima – di esplodere con effetti micidiali. Nel primo episodio la carica era accompagnata da una lettera minatoria nei confronti del fratello e della vedova dell'on. Fortugno e intendeva, esplicitamente, porsi in collegamento con l'omicidio.

Ancora più torbidi e inquietanti apparivano poi il retroscena della vicenda e i non chiariti rapporti di Chiefari con personale dei Servizi segreti, di cui egli dichiarava essere stato confidente.

Tutti gli interrogativi rimasti aperti intorno alle varie vicende legate all'omicidio Fortugno possono trovare una parziale risposta nei vari procedimenti in corso, sia perché direttamente legati all'omicidio sia perché in generale collegati agli interessi diretti della 'ndrangheta nella Sanità.

È comunque auspicabile e necessario che su questa vicenda, che rappresenta la più alta sfida che le cosche hanno lanciato alle istituzioni in Calabria dai tempi dell'omicidio del procuratore Scopelliti, le indagini vadano ancora avanti nella ricerca di tutti gli elementi necessari a chiarire fino in fondo le motivazioni dell'omicidio e del suo contesto politico-mafioso e fugare ogni zona d'ombra assicurando alla giustizia mandanti ed esecutori.

Anche all'interno di questa complessa vicenda emerge un dato di fondo, quasi strutturale, relativo alla natura dei partiti e alle classi dirigenti.

In vista di ogni elezione, notabili, politici, detentori di pacchetti di voti e preferenze si offrono sul mercato del consenso. Si cambia così schieramento portando in dote voti ma anche interessi materiali e clientelari. I bisogni della gente vengono ricondotti in un sistema di favori clientelari che per rigenerarsi deve essere alimentato con soldi pubblici e affari. Per questo il buco del bilancio della Sanità è diventato un pozzo senza fondo.

La politica si privatizza e le cosche che controllano il territorio trattano con essa, la condizionano, offrono i loro pacchetti di voti o entrano direttamente nelle liste con propri uomini. Purtroppo, questo meccanismo vede come protagonisti passivi anche i cittadini che, in assenza di diritti esigibili da rivendicare in modo trasparente, affidano i propri problemi a chi promette, anche con mezzi corrotti e illegali, di offrirgli una risposta percepita da loro stessi come l'unica possibile.

Questa è la politica debole che in Calabria dà forza alla 'ndrangheta. Ma questa politica per rigenerare se stessa, il suo consenso, le sue clientele, deve riprodurre la sua debolezza, pena la perdita di relazioni che alimentano il sistema di potere di cui è espressione.

VII. COLONIZZAZIONI

1. Milano e la Lombardia

Milano e la Lombardia sono il caso emblematico della ramificazione molecolare della 'ndrangheta in tutto il Nord, dalle coste adriatiche della Romagna ai litorali del Lazio e della Liguria, dal cuore verde dell'Umbria alle valli del Piemonte e della Valle d'Aosta. Di questi insediamenti è utile fornire alcuni brevi spaccati, tutti legati ferreamente a doppio filo con i territori d'origine com'è caratteristica della 'ndrangheta e come indicato dalla ricostruzione della mappa delle famiglie nel capitolo III di questo libro.

Il 13 gennaio 1994 nel corso dell'XI Legislatura la Commissione parlamentare d'inchiesta sul fenomeno della mafia approvava la relazione sugli insediamenti e le infiltrazioni di organizzazioni di tipo mafioso in aree non tradizionali, le principali regioni del Nord e del Centro Italia.

La relazione si collocava contestualmente in quella stagione straordinaria di lotta alla mafia che, soprattutto in Lombardia, aveva visto la disarticolazione di intere organizzazioni a seguito di operazioni di polizia coordinate dalle Procure Distrettuali che avevano portato all'arresto, e quasi sempre alla condanna, di migliaia di appartenenti a gruppi criminali soprattutto affiliati alla 'ndrangheta.

La relazione già evidenzia come in Lombardia la 'ndrangheta era l'organizzazione più potente, cita i risultati di operazioni quali «Wall Street»[1] e «Nord-Sud»[2] che allora erano in pieno svolgimento e che, insieme alle successive, in particolare l'operazione «Count Down»[3] dell'ottobre 1994 e l'operazione «Fiori della Notte di San Vito», del novembre 1996, riguardante il clan Mazzaferro,[4] sono sfociate nei grandi dibattimenti sino ai primi anni del 2000 che si sono conclusi con centinaia di condanne.

Si può affermare che con tali operazioni è stata quasi eliminata la componente militare di imponenti organizzazioni, dai soldati fino ai generali, e sono stati «riconquistati» dalle forze dello Stato territori che erano fortemente condizionati da cosche come quelle dei Coco Trovato nel lecchese, i Morabito-Palamara-Bruzzaniti e i Papalia-Barbaro-Trimboli.

Da allora nessun'altra indagine approfondita di impulso parlamentare si è occupata degli insediamenti mafiosi in Lombardia nonostante il Nord del Paese e Milano siano stati investiti da grandi processi di trasformazione econo-

---

1. Riguardante il clan Coco Trovato-Flachi-Schettini legato ai De Stefano di Reggio Calabria nonché i Cursoti di Catania.
2. Riguardante le cosche Papalia-Barbaro e Morabito.
3. Riguardante sia la 'ndrangheta dell'area De Stefano sia l'area della camorra quale i Fabbrocini e gli Ascione.
4. Che operava con decine di «locali» nelle province di Varese e di Como e che ha anch'esso ripreso in buon parte le posizioni perdute.

mici e sociali, di deindustrializzazione di intere aree e periferie urbane e, in questi cambiamenti, le mafie abbiano riguadagnato silenziosamente ma progressivamente terreno.

Le 'ndrine sono state in grado di recuperare il terreno perduto grazie a una strategia operativa che ha evitato manifestazioni eclatanti di violenza, tali da attirare l'attenzione e divenire controproducenti, attuando piuttosto un'infiltrazione ambientale anonima e mimetica tale da destare minor allarme sociale e da far assumere alle cosche e ai loro capi le forme rassicuranti di gestori e imprenditori di attività economiche e finanziarie del tutto lecite.[5]

In tal modo si è realizzato un controllo ambientale che, in sentenze già passate in giudicato, è stato definito «selettivo» e cioè strettamente funzionale nel suo «stile» al raggiungimento degli scopi del programma criminoso in un'area geografica giustamente ritenuta diversa per cultura, mentalità e abitudini rispetto a quella di origine. Non per questo esercita un controllo meno pericoloso in quanto più idoneo, proprio per la sua invisibilità, a rimanere

---

5. La strategia del «silenzio» non esclude ovviamente messaggi fortemente intimidatori quando necessari al buon funzionamento della strategia generale, come testimoniano i tre incendi tra il marzo 2003 e il novembre 2005 delle autovetture del sindaco di un Comune chiave per la strategia delle cosche, e cioè Maurizio Carbonera sindaco del centrosinistra di Buccinasco impegnato nell'approvazione di un piano regolatore non gradito ai clan che controllano il locale mercato dell'edilizia. Il sindaco Carbonera è stato anche destinatario di una busta con un proiettile di mitragliatrice. A Buccinasco, definita la Platì del Nord, è da sempre dominante la cosca Papalia-Barbaro.

occulto e ad essere meno oggetto di risposte tempestive da parte delle forze dell'ordine e della società civile.

La strategia di «inabissamento» di queste cosche invisibili che sono riuscite a riprodursi nonostante i colpi loro inferti dalle grandi indagini degli anni Novanta è stata favorita da un insieme di condizioni.

In sintesi i fattori che negli ultimi anni hanno giocato a vantaggio delle cosche operanti in Lombardia possono essere i seguenti:

1) la capacità delle cosche, e soprattutto quelle calabresi per la loro strutturazione familistica di tipo orizzontale, di rigenerarsi tramite l'entrata in gioco di figli e familiari di capi-cosca arrestati e condannati all'ergastolo o a pene elevatissime a seguito dei processi degli anni Novanta. In pratica ogni cosca, da quella dei Coco Trovato a quella di Antonio Papalia a quella dei Sergi, ha visto il formarsi, sotto la guida dei capi detenuti, di una nuova generazione;

2) le scarse risorse specializzate messe in campo dallo Stato in Lombardia e in genere nel Nord Italia per combattere la mafia. Basti pensare a un distretto come quello di Milano che comprende anche città con forte presenza mafiosa come Como, Lecco, Varese e Busto Arsizio, con le forze in campo costituite da poco più di 200 uomini: 40 uomini del Ros Carabinieri, 50 uomini del Gico, 55 dello Sco della Polizia di Stato cui si aggiungono 68 uomini della Dia che ha competenza peraltro su tutta la Lombardia.

L'insufficienza di uomini, più volte denunziato dai rappresentanti della Dda è pari all'insufficienza di mezzi, causa spesso del rallentamento di alcune indagini;

3) altro elemento che ha influito soprattutto nell'opinione pubblica è rappresentato dall'esplosione, negli ultimi anni, del tema della percezione della sicurezza che, soprattutto in un'area come Milano e il suo hinterland ha spostato l'attenzione sulla microcriminalità in genere collegata alla presenza di stranieri e di altri soggetti operanti sul terreno della devianza sociale. E ciò, nonostante l'incessante lavoro e i risultati importanti ottenuti dalla Dda.

In questo contesto di «disattenzione» le cosche hanno scelto come sempre le attività criminose più remunerative con minori rischi e hanno evitato, per quanto possibile ma con successo, le faide interne e i regolamenti di conti che avevano preceduto soprattutto con sequele impressionanti di omicidi le indagini degli anni Novanta e che avevano avuto l'effetto di suscitare un immediato e controproducente allarme sociale.

Del resto in una metropoli come Milano in cui, secondo le statistiche, circa 120.000 milanesi fanno uso stabile o saltuario di cocaina, c'è «posto per tutti» ed è stato possibile, per i vari gruppi, attuare una divisione del mercato e del lavoro in grado di soddisfare tutti senza concorrenze sanguinose, dall'acquisto delle grosse partite sino alla rivendita nelle varie zone.

Le numerose operazioni condotte dalle Forze dell'Ordine e dalla Magistratura hanno consentito di delineare un quadro della criminalità organizzata, prevalentemente di matrice calabrese, presente sul territorio lombardo.

Le cosche ivi operanti, sviluppatesi con i tratti tipici della malavita associata negli anni Settanta, presentano una struttura costante, caratterizzata da un nucleo di persone legate strettamente tra loro da vincoli di parentela, spesso formalmente affiliate alla 'ndrangheta, a cui si affianca una base numericamente più ampia con funzioni esecutive, che assicura un apporto continuo nella realizzazione degli obiettivi criminali.

Malgrado il contatto con realtà diverse, i componenti di questi gruppi hanno mantenuto le peculiarità comportamentali e gli atteggiamenti culturali della criminalità organizzata calabrese.

La Lombardia è da sempre retroterra strategico dei più importanti sodalizi criminali calabresi e gli eventi registrati offrono ulteriori riscontri per quanto concerne la massiccia presenza nella regione di soggetti legati alla 'ndrangheta, con interessi, come si vedrà, principalmente nel settore del traffico di stupefacenti, nella gestione dei locali notturni e nell'infiltrazione all'interno dell'imprenditoria edilizia.

Anche per la 'ndrangheta, sul territorio lombardo, prevale una strategia di basso profilo di esposizione, pur non mancando atti violenti, quali l'agguato in viale Tibaldi a Milano, dell'aprile 2007, ove un pregiudicato calabrese è stato ferito con colpi di arma da fuoco per motivi forse correlabili alle attività illegali del caporalato, che sembra costituire un mercato in espansione per la 'ndrangheta.

Non sono neppure mancati episodi estorsivi, che hanno coinvolto pregiudicati di origine calabrese, con interessi nel campo dell'edilizia a Caronno Pertusella (VA).

Tuttavia l'aspetto militare, pur se cautelativamente messo in sonno, non è certo stato abbandonato dalla strategia dei gruppi calabresi e si ha almeno un esempio di tale potenzialità dal sequestro di un imponente arsenale a disposizione della 'ndrangheta calabrese rinvenuto in un garage di Seregno nell'ambito dell'operazione «Sunrise» nel giugno 2006. L'arsenale era a disposizione di Salvatore Mancuso e del suo gruppo appartenente al clan di Limbadi (VV) da tempo sbarcato in Brianza. Un vero e proprio deposito di armi micidiali: kalashnikov, mitragliatori Uzi, Skorpion, munizioni e cannocchiali di precisione, bombe a mano. Le attività criminali accertate sono state le truffe, il traffico di droga e l'associazione a delinquere finalizzata all'usura. Il prosieguo dell'indagine consentiva l'ulteriore arresto complessivamente di 32 persone, originarie del Vibonese, indiziate di traffico di droga, usura e truffe. Le attività usurarie venivano praticate attraverso un membro dell'organizzazione, titolare di imprese edili e altre società, che erogava a imprenditori in difficoltà prestiti con interessi fino al 730%.

Le truffe avvenivano, con meccanismi complessi di mancati pagamenti, ai danni di società di lavoro interinale, conseguendo illeciti introiti per oltre 800.000 euro.

Le indagini hanno messo in luce anche un elevatissimo gettito proveniente dalle attività estorsive e valutato in circa 3 milioni di euro.

Da quanto detto consegue che l'attività assolutamente prevalente, quella che si potrebbe dire di «accumulazione primaria», rimane l'introduzione e la vendita di partite di sostanze stupefacenti, in assoluta prevalenza cocaina, canalizzate in Italia tramite i contatti anche stabili e «residenziali» delle cosche con i fornitori operanti nell'area della Colombia e del Venezuela.

In questo campo l'attività di contrasto è stata in grado in questi ultimi anni di assestare alla «nuova generazione» delle cosche alcuni colpi importanti che tuttavia, data la grande estensione del mercato e l'enormità dei guadagni e dei ricarichi, sono passibili di essere riassorbiti dai gruppi come una sorta di rischio d'impresa in termini di perdita temporanea di uomini e di guadagni. Tra le operazioni condotte con successo si può citare la «Caracas Express» eseguita dalla Squadra Mobile di Milano che ha portato all'emissione di 47 ordini di custodia nei confronti di appartenenti al clan di Rocco Molluso e Davide Draghi di Oppido Mamertina appartenente all'area dei Barbaro-Papalia e operante in particolare nella fascia Sud-est di Milano.

La potenzialità di mercato di tale gruppo, che dà il senso dell'entità complessiva dello spaccio di cocaina a Milano, era evidenziata dall'acquisto e dalla rivendita ogni mese di 20 chili di cocaina purissima proveniente dal Sud America. Sui rapporti tra la 'ndrangheta e i cartelli colombiani produttori di cocaina, sono importanti i riscontri dell'Operazione «Stupor Mundi», conclusasi nel mese di maggio 2007 a Reggio Calabria con l'emissione di 40 ordini di arresto.

La dimensione del traffico era desumibile dalla dimostrata capacità degli arrestati di acquistare partite, fino a tremila chili, di stupefacente allo stato puro, direttamente dalla Colombia. La cocaina sequestrata nel corso dell'operazione aveva un valore sul mercato di circa 60 milioni di euro. Venivano accuratamente ricostruite le rotte dei traffici di cocaina che, partendo dal Sud America, e in particolare dalla Colombia, giungevano, attraverso l'Olanda, soprattutto in Piemonte e in Lombardia.

Estremamente significativa dell'incidenza del monte di affari prodotto dai traffici di cocaina è il riciclaggio in attività imprenditoriali e la capacità di gruppi con i propri capi condannati all'ergastolo di rimpadronirsi in pochi anni del territorio. Lo ha dimostrato l'indagine «Soprano» che ha visto nel dicembre del 2006 l'arresto, ad opera della Polizia di Stato e della Guardia di Finanza, di 37 persone[6] appartenenti alla famiglia Coco Trovato.

Tale famiglia nonostante la condanna all'ergastolo dei capi Franco Coco Trovato e Mario Coco Trovato è riuscita infatti a rioccupare il territorio di influenza, e cioè quel-

---

6. Ordinanza di custodia cautelare emessa il 13.12.2006 a carico di Bubba Rodolfo, Trovato Emiliano, Trovato Giacomo e altri anche per il reato di cui all'art. 416*bis* c.p.

lo di Lecco, grazie alla discesa in campo e alla reggenza di figli, nipoti e consanguinei indicati nell'ordinanza di custodia cautelare.

Vincenzo Falzetta, sempre secondo la misura cautelare, era anche l'uomo di riferimento del gruppo sul piano finanziario e imprenditoriale, avendo assunto per conto della cosca, tramite varie società, la gestione di numerosi locali pubblici a Milano tra cui la nota discoteca Madison, il ristorante Bio Solaire e la discoteca estiva Cafè Solaire, sita strategicamente nei pressi dell'Idroscalo.

Si era così costituita una catena di locali pubblici, in cui fra l'altro lavoravano quasi solo parenti o persone legate alla «famiglia», che rispondevano a una pluralità di esigenze: riciclare la liquidità in eccesso, spacciare all'interno o intorno ad essi altra cocaina e usare i locali, al riparo da occhi indiscreti, per riunioni strategiche, alcune delle quali finalizzate a discutere addirittura il reimpiego in grosse attività immobiliari in Sardegna dei proventi della bancarotta di società finanziarie messe in piedi dalle cosche in Svizzera.

Si evidenzia in questo contesto un'elevata capacità imprenditoriale delle famiglie calabresi considerando che locali analoghi sono stati aperti da Falzetta a Soverato in provincia di Catanzaro e sono in corso progetti di acquisizione di ristoranti negli Usa come risulta da diverse indagini.

Uno spaccato particolare è rappresentato da Quarto Oggiaro, il quartiere popolare da sempre tra i più degradati della periferia nord-ovest di Milano. Una vera e propria zona franca per l'illegalità, con settecento delle quattromila case popolari gestite dalla Aler, l'ente comunale milanese che amministra il patrimonio edilizio pubblico, occupate abusivamente e con l'accesso controllato direttamente dagli uomini della 'ndrangheta. In questo territorio, suscitando grande clamore sui media locali, nell'estate del 2007 è ricomparso in forze il gruppo Carvelli di Petilia Policastro (KR), anch'esso colpito dalle indagini degli anni Novanta ma ugualmente riuscito a riprodursi.

Alcuni interventi di polizia hanno fatto emergere un vero e proprio controllo militare dello spaccio tra i casermoni del quartiere con file di acquirenti che si presentavano praticamente alla luce del sole nei vari punti dove operavano gli spacciatori stabilmente presidiati da chi era addetto alla guardia e al rifornimento.

Risale allo stesso mese di agosto 2007, e cioè poco dopo il fallito tentativo di «bonifica» di Quarto Oggiaro, l'omicidio proprio di Francesco Carvelli figlio dell'ergastolano Angelo Carvelli e nipote del sorvegliato speciale Mario Carvelli, considerato l'attuale padrone del quartiere. Il regolamento di conti, uno dei non numerosi verificatisi negli ultimi anni, risponde con ogni probabilità a una logica di assestamento dei rapporti tra i vari gruppi operanti nell'area.

L'enorme liquidità in eccesso prodotta dai traffici di cocaina e in misura minore ma significativa dalle estorsioni viene canalizzata, secondo i dati che provengono dalle principali strutture investigative e fra di esse la Dia, in alcuni settori produttivi ed economici attraverso imprese apparentemente legali.

Si tratta del settore dell'edilizia nel quale va compreso sia a Milano sia nell'hinterland quello degli scavi e del movimento terra, delle costruzioni vere e proprie, sino all'intermediazione realizzata da agenzie immobiliari collegate,[7] del settore ristoranti e bar, del settore delle agenzie che forniscono addetti ai servizi di sicurezza, soprattutto per locali pubblici e discoteche; del settore dei servizi di logistica, cioè il facchinaggio e la movimentazione di merci, con la gestione di società cooperative, come quelle controllate dalle cosche presso l'Ortomercato di Milano.

---

7. Nel settore dell'edilizia privata, sottoposto soprattutto nell'hinterland a un controllo quasi monopolistico da parte delle cosche, il meccanismo di intervento che esprime tale controllo, come è stato già riconosciuto in alcune sentenze, risulta quasi sempre il medesimo. Inizialmente società operanti con capitali mafiosi ma intestate a prestanomi incensurati e apparentemente privi di collegamento con i clan acquistano terreni agricoli ottenendo poi dai Comuni le relative licenze edilizie e facendo fronte agli oneri di urbanizzazione primaria e secondaria. In un secondo momento le stesse società affidano la costruzione di unità immobiliari, attraverso contratti di appalto, a società in cui compaiono invece imprenditori o loro familiari legati in modo più diretto ai gruppi della 'ndrangheta. Il pagamento del contratto di appalto non avviene poi in denaro bensì con la cessione di una quota, di solito il 50%, delle unità immobiliari costruite che l'impresa costruttrice vende subito ad altre società immobiliari anch'esse legate ai clan che rivendono a privati. Tale meccanismo consente quindi di porre degli schermi di salvaguardia tali da non attirare troppo l'attenzione sul reale beneficiario finale dell'attività edilizia e tutte le società coinvolte, che si alimentano con continui ingenti finanziamenti soci con i quali poi vengono pagate le reciproche prestazioni, hanno la possibilità di nascondere l'origine di somme provenienti dai traffici illeciti e di ottenere in modo abbastanza semplice flussi di denaro pulito.

Storicamente, però, per le cosche calabresi l'edilizia[8] rappresenta il settore primario che consente, fra l'altro, di utilizzare anche mano d'opera a bassa specializzazione e di sviluppare e controllare fenomeni quali il caporalato delle braccia.[9] Questa attività criminale sfrutta da anni manodopera clandestina giunta sulle coste crotonesi e catanzaresi con le carrette del mare e fatta fuoriuscire dai Cpt di Crotone e Rosarno. Anche nell'edilizia non mancano le estorsioni in danno di concorrenti o di imprese riottose. Lo testimoniano incendi in cantieri o danneggiamenti di attrezzature che vengono segnalati soprattutto nell'*hinterland*.

Tuttavia persino le minacce estorsive non sono necessarie quando, come nella maggioranza dei casi, si verte in realtà in una situazione di completo monopolio e in ampie zone della Brianza o del triangolo Buccinasco-Corsico-Trezzano non è nemmeno pensabile che qualcuno con proprie

---

8. Si osservi che allo stato non si evidenziano infiltrazioni significative nel campo dell'edilizia pubblica e in genere negli appalti pubblici di rilievo, non è noto se per una carenza delle indagini o perché gli appalti pubblici non sono per il momento di grande interesse per le cosche rischiando di metterne in pericolo «l'invisibilità».
Tuttavia indagini recenti e ancora in corso segnalano un nuovo interesse per gli appalti nel campo dell'Alta Velocità ferroviaria e nel campo del potenziamento dell'Autostrada Milano-Torino nelle sue tratte lombarde.

9. In tema di caporalato è interessante rilevare che molti lavoratori delle imprese di facchinaggio gestite da uomini vicini alle cosche sono secondo i dati forniti dagli organi investigativi cittadini curdi e turchi convogliati dalla 'ndrangheta in Nord Italia dopo il loro sbarco sulle coste del crotonese e del catanzarese.

offerte o iniziative «porti via il lavoro» alle cosche calabresi che hanno le loro imprese diffuse sull'intero territorio.

In questo senso appare pienamente condivisibile il giudizio finale formulato dal responsabile della Dda presso la Procura di Milano secondo cui in settori come quello dell'edilizia non è nemmeno necessaria l'intimidazione diretta poiché è sufficiente l'intimidazione «percepita», cioè quella non esercitata con minacce aperte ma con la semplice «parola giusta al momento giusto».

L'intervento dell'Autorità giudiziaria ha anche portato alla luce l'infiltrazione diffusa e organica in un settore strategico dell'economia lombarda, e quello relativo all'insediamento o meglio reinsediamento della cosca Morabito-Bruzzaniti-Palamara all'interno dell'Ortomercato di via Lombroso.[10]

L'Ortomercato di Milano è il più grande d'Italia. Ogni notte vi fanno capo centinaia di camion che distribuiscono i prodotti in tutta la regione. Dei 3000 lavoratori impiegati quasi la metà sono irregolari. Il giro di affari è di 3 milioni di euro al giorno con 150 tra imprese e cooperative interessate.

L'ordinanza di custodia cautelare emessa in data 26.4.2007 nei confronti di Salvatore Morabito, Antonino Palamara, Pasquale Modaffari e altre 21 persone ha mes-

---

10. Già nel 1993 infatti un'indagine della Dda di Milano aveva messo in luce un commercio di cocaina e di eroina tra Italia, Sud America e Thailandia per 300 chilogrammi di sostanze al mese che viaggiavano appoggiandosi alla Sical Frut una società che operava presso l'Ortomercato di Milano e rispondeva allo stesso clan dei Morabito.

so in luce che la cosca Morabito-Bruzzaniti, grazie all'arruolamento dell'imprenditore Antonio Paolo titolare del consorzio di cooperative Nuovo Co.Se.Li., era riuscita a utilizzare le strutture dell'Ortomercato e i suoi uffici come punto di riferimento per gli incontri, e base logistica per la gestione di grosse partite di sostanze stupefacenti. Tra di esse i 250 chilogrammi di cocaina provenienti dal Sud America, giunti in Senegal a bordo di un camper e sequestrati in Spagna dopo aver viaggiato sotto la copertura di un'attività di rally.

La cosa che più inquieta è che Morabito, appena terminato nel 2004 il periodo di soggiorno obbligato ad Africo, grazie all'arruolamento dell'operatore economico Antonio Paolo, aveva goduto per i suoi spostamenti all'interno dell'area commerciale addirittura di un pass rilasciato dalla So.Ge.Mi. e cioè la società che gestisce per conto del Comune di Milano l'intera area dell'Ortomercato. Al punto che il Morabito entrava nell'Ortomercato con la Ferrari di sua proprietà.

Tale mancanza di controlli appare peraltro diretta conseguenza del fatto che da tempo l'area, nonostante la gestione comunale, era divenuta «zona franca», controllata da un caporalato aggressivo, padrone del lavoro nero e all'interno della quale il Presidio di Polizia risultava chiuso da anni, mentre i Vigili Urbani evitavano quasi sempre di intervenire.

La capacità di influenza di Morabito era giunta al punto che il suo «controllato», Antonio Paolo, aveva acquistato le quote della società Spam s.r.l. che, per ragioni di certificazione antimafia Morabito e i suoi associati non avevano più potuto gestire formalmente, e tale società aveva chiesto e ot-

tenuto dalla So.Ge.Mi., e quindi in pratica dal Comune, la
concessione ad aprire nello stabile di via Lombroso, ove peraltro ha sede la stessa So.Ge.Mi, il *night club* «For the
King», inaugurato il 19.4.2007 alla presenza di noti boss della 'ndrangheta come, tra gli altri, Antonino Palamara.

Il sequestro preventivo delle quote sociali della Spam
è stato adottato dal Gip di Milano e confermato dal Tribunale del Riesame il 5.6.2007.

I provvedimenti dell'Autorità giudiziaria di Milano con
i quali sono state sequestrate le quote sociali della Spam
s.r.l. evidenziano un'altra ragione di interesse. Antonio
Paolo, dopo aver rilevato la società nella quale Morabito
era rimasto il socio occulto e il vero dominus, aveva ottenuto dalla Banca Unicredit ed esattamente dalla filiale della centrale via San Marco di Milano un anomalo finanziamento di 400.000 euro che doveva servire a pagare le spese della ristrutturazione del night For the King, peraltro a
posteriori, visto che la ristrutturazione era già avvenuta.

Ciò mette a nudo un sistema col quale non solo qualche Cassa Rurale di provincia ma anche istituti maggiori
assicurano finanziamenti a noti esponenti mafiosi senza
effettuare i controlli necessari e senza chiedersi chi siano i
soggetti così indebitamente favoriti.

Un'altra conseguenza significativa dell'indagine relativa
alle infiltrazioni della 'ndrangheta nell'Ortomercato è stato il sequestro propedeutico alla confisca di numerose
quote societarie e beni immobili per un valore complessivo di quasi 4 milioni di euro effettuato nei confronti di due
fiduciari del gruppo Morabito-Bruzzaniti e cioè Francesco
Zappalà, un dentista che non aveva mai esercitato la sua

professione medica, ma che disponeva a Milano di una villa lussuosa, e del suo braccio destro Antonio Marchi.[11]

L'evidente sproporzione tra i redditi dichiarati e gli investimenti societari e immobiliari effettuati certamente come prestanome della cosca di riferimento, ha consentito infatti il sequestro di quote sociali di varie società utilizzate per l'acquisto di immobili, di appartamenti e bar a Milano, uno dei quali in zona abbastanza centrale, di una villa con box a Cusago nell'hinterland milanese, di terreni nel torinese, di appartamenti a Massa Carrara e a Finale Ligure nonché di terreni a Bova Marina, nel reggino, zona di provenienza di quasi tutti i componenti del gruppo.

Lo scenario dell'indagine chiamata «Dirty Money», resa possibile da una stretta collaborazione tra le autorità elvetiche e quelle italiane, vede, secondo la ricostruzione dell'accusa, la presenza della cosca Ferrazzo[12] di Mesoraca (KR) ramificatasi in Lombardia tra Varese e Lavena Ponte Tresa

---

11. Entrambi fra l'altro destinatari di misura cautelare nell'operazione relativa all'Ortomercato.
12. La cosca Ferrazzo di Mesoraca, impegnata sul confine italo-svizzero in traffici di droga e di armi, è stata retta in tempi diversi da Felice Ferrazzo e Mario Donato Ferrazzo e ad essa era vicino Sergio Iazzolino, uno dei registi dell'operazione «WFS/ PP Finanz», assassinato a Cutro (KR) il 5 marzo 2004.
Per l'organizzazione del piano finanziario di investimento e di spoliazione il gruppo si sarebbe avvalso di un personaggio cerniera con specifiche «competenze», il cittadino italo-svizzero di origine campana Alfonso Zoccola, già condannato in Svizzera per una truffa per decine di milioni di franchi in danno di istituti di credito svizzeri in concorso con soggetti napoletani e con un nipote dell'armatore Achille Lauro.

e in Svizzera a Zurigo. Proprio qui vengono allestite due grosse «lavatrici», e cioè due società finanziarie, la WSF Ag e la PP Finanz Ag che dovevano occuparsi di raccogliere i capitali di investitori svizzeri e internazionali per intervenire sul mercato Forex e operare transazioni su divise. In realtà tali finanziarie erano divenute il luogo ove depositare e far transitare ingenti somme provenienti dalle attività illecite della cosca. A partire dall'inizio degli anni 2000, era iniziata la programmata spoliazione delle società stesse, con il dirottamento dei capitali, sia quelli di provenienza illecita sia quelli affidati dagli investitori, su conti *offshore* e società nella disponibilità degli amministratori, tutti legati direttamente o indirettamente alla 'ndrangheta.

Prima che il caso esplodesse e che nel 2003 fosse dichiarato il fallimento di entrambe le società operanti in Svizzera, con la distrazione di decine di milioni di franchi, l'obiettivo dell'operazione era il reimpiego dei capitali puliti in investimenti immobiliari di prestigio in Sardegna e in Spagna, sempre controllati dalla cosca regista del progetto. Tali investimenti, che avrebbero così consentito di far rientrare in Italia e di ripulire somme notevoli in attività formalmente lecite, sono stati interrotti solo dalle indagini.

L'inchiesta «Dirty Money», caratterizzata da complessi accertamenti finanziari, costituisce un passo importante perché forse per la prima volta in Lombardia non ci si è trovati di fronte al caso tipico di riciclaggio reso possibile dall'intervento di un funzionario di banca compiacente o al riciclaggio consueto in esercizi di ristorazione.

È un fenomeno ben diverso e, per così dire, «strutturale», costituito dalla scelta del gruppo criminale di allestire in proprio una grossa macchina societaria, funzionale ai suoi scopi e utilizzata non solo per inghiottire i depositi degli investitori, ma per ripulire ingenti masse di denaro provenienti dalle attività illecite condotte in Italia.[13]

Le indagini attualmente più significative evidenziano preoccupanti segnali della persistente presenza di organizzazioni di tipo mafioso, che, soprattutto nell'area metropolitana di Milano e nelle province confinanti, si caratterizzano più per una capillare occupazione di interi settori della vita economica e politico-istituzionale, che per la tradizionale e brutale gestione militare del territorio in connessione con le attività tipiche delle associazioni mafiose: dal traffico di stupefacenti all'usura, allo sfruttamento della prostituzione e alle estorsioni in danno dei pubblici esercizi, ecc.

In sostanza, nelle zone a più alta densità criminale,

---

13. Sempre nel campo delle indagini patrimoniali va ricordato che presso la Procura della Repubblica di Monza è in corso un'attività in cui emerge per la prima volta una sinergia operativa in investimenti illeciti tra elementi della criminalità organizzata italiana e gruppi stranieri. È emerso infatti che un soggetto cinese già condannato a morte in Cina per truffa aggravata intendeva trasformare un immobile di Muggiò, inizialmente destinato a un multisala cinematografico, in un grosso centro commerciale con stand di prodotti cinesi. Per realizzare l'acquisto dell'immobile, del valore di oltre 40 milioni di euro, sono stati presi contatti con esponenti della cosca Mancuso di Limbadi operante nella zona, cosca interessata alla possibilità di realizzare tramite tale iniziativa il riciclaggio delle proprie liquidità. Le verifiche in merito a questo fenomeno certamente nuovo sono ancora in corso.

Rozzano, Corsico, Buccinasco, Cesano Boscone, per citarne alcuni, le tradizionali famiglie malavitose di origine meridionale, sempre più saldamente radicate al territorio, hanno iniziato a gestire e a sfruttare le zone di influenza, stringendo, dal punto di vista istituzionale, alleanze con spregiudicati gruppi politico-affaristici e inserendosi nel campo imprenditoriale grazie alle loro illimitate disponibilità finanziarie.

Altra indagine di rilievo nasce dagli accertamenti espletati dal Ros Carabinieri, in aggiunta a quelli già svolti dalla Dia, in relazione a un esposto anonimo che segnalava inquietanti rapporti tra personaggi di un Comune dell'hinterland milanese e gruppi malavitosi organizzati di stampo mafioso localizzati nel medesimo comune e in quelli limitrofi.

Le più recenti acquisizioni investigative hanno anche confermato l'esistenza in un altro Comune dell'hinterland milanese di un gruppo politico-affaristico e un continuo riferimento ai «calabresi», anche in relazione alle recenti elezioni amministrative.

Nell'ambito di un altro procedimento penale è emerso il coinvolgimento di elementi appartenenti alla cosca di Isola di Capo Rizzuto nell'acquisizione illecita degli appalti dell'alta velocità ferroviaria e del potenziamento dell'autostrada Milano-Torino in diverse tratte lombarde.

Avvalendosi delle potenzialità fornite dalla prima piazza economico-finanziaria a livello nazionale, la 'ndrangheta attua il riciclaggio e/o il reimpiego dei proventi derivanti dalla gestione, anche a livello internazionale, di attività illecite (traffico di sostanze stupefacenti, armi ed esplosivi, immigrazione clandestina, turbativa degli incanti, ecc.), inserendosi insidiosamente nel tessuto economico legale, grazie all'esercizio di imprese all'apparenza lecite (esercizi commerciali, ristoranti, imprese edili, di movimento terra, ecc).

La prevalenza criminale calabrese, peraltro, non è mai sfociata in assoluta egemonia, sicché altre organizzazioni italiane (Cosa nostra, Camorra e Sacra Corona Unita) e straniere (albanesi, cinesi, nordafricane, ecc.) con essa convivono e si rafforzano, generando l'attuale situazione di massima eterogeneità.

In definitiva, quanto alle caratteristiche peculiari delle organizzazioni criminali monitorate, è stato possibile individuare due distinte realtà territoriali, le quali hanno, però, mostrato un'incidenza criminale omogenea:

• Milano e il suo hinterland, quale centro nevralgico della gestione di attività illecite aventi connessioni con vaste zone del territorio nazionale;

• area brianzola (province di Milano, Como e Varese), dove il denaro proveniente dalle attività illecite viene reinvestito in considerazione della «felice» posizione geografica che la vede a ridosso del confine con la Svizzera e della ricchezza del tessuto economico che la caratterizza.

Nel corso degli ultimi anni, una ulteriore conferma della forte presenza della 'ndrangheta si è rilevata nell'area dell'hinterland sud-ovest del capoluogo lombardo (in particolare nei Comuni di Corsico, Cesano Boscone, Rozzano, Buccinasco, Trezzano sul Naviglio e Assago) con particolare riferimento alle 'ndrine provenienti dalla locride, nonché dalla piana di Gioia Tauro.

Le principali 'ndrine sono: Morabito-Bruzzaniti-Palamara, Morabito-Mollica, Mancuso, Mammoliti, Mazzaferro, Piromalli, Iamonte, Libri, Condello, Ierinò, De Stefano, Ursini-Macrì, Papalia-Barbaro, Trovato, Paviglianiti, Latella, Imerti-Condello-Fontana, Pesce, Bellocco, Arena-Colacchio, Versace, Fazzari e Sergi. Geograficamente il territorio lombardo può essere così suddiviso:

- A Milano e hinterland opera attivamente la Cosca Morabito-Palamara-Bruzzaniti, che, tra l'altro, «utilizza» varie società aperte presso l'ortomercato per fare arrivare nella metropoli ingenti «carichi di neve», la cui domanda si è capillarmente diffusa tra i vari ceti sociali.
- A Monza le «famiglie» Mancuso, Iamonte, Arena e Mazzaferro;
- A Bergamo, Brescia e Pavia le «famiglie» Bellocco e Facchineri;
- A Varese, Tradate e Venegono le «famiglie» Morabito e Falzea;
- A Busto Arsizio e Gallarate la «famiglia» Sergi.

Le categorie economiche maggiormente a rischio di infiltrazione da parte della criminalità organizzata si possono indicare in queste tipologie:

- costruzioni edili attraverso piccole aziende a non elevato contenuto tecnologico, che si avvalgono della compiacenza di assessori e amministratori locali amici e si infiltrano negli appalti pubblici;
- autorimesse e commercio di automobili;
- bar, panetterie, locali di ristorazione;

- sale videogiochi, sale scommesse e finanziarie;
- stoccaggio e smaltimento rifiuti;
- discoteche, sale bingo, locali da ballo, night clubs e simili (che implicano possibilità di conseguire ingenti incassi e di fare «girare» droga);
- società di trasporti;
- distributori stradali di carburante;
- servizi di facchinaggio e pulizia;
- servizi alberghieri;
- centri commerciali;
- società di servizi, in specifico, quelle di pulizia e facchinaggio.

I canali attraverso i quali viene «lavato» il denaro appaiono i più ingegnosi e diversificati. Recenti inchieste, ad esempio, raccontano che le cosche sono sempre più interessate ai cosiddetti Money Transfert, gli sportelli da cui gli stranieri inviano denaro all'estero. Sul territorio nazionale restano gli euro puliti dei lavoratori extracomunitari, fuori dai confini si volatilizzano i soldi sporchi. Altro canale utilizzato è quello dei supermercati e dei loro scontrini. I registratori di cassa, emettono ricevute a raffica, anche con qualche cifra in più; così gli 'ndranghetisti stanno aprendo catene di negozi e centri commerciali in società con cinesi. Altro settore su cui scommette la criminalità calabrese è quello dei giochi: nell'anno 2006, in Lombardia, i locali specializzati hanno fatturato 4,6 miliardi di euro, laddove le sale scommesse (54 in Lombardia, 41 in Milano e provincia) hanno registrato 1,5 miliardi di euro di puntate, il 55% in più rispetto all'anno precedente.

Le cosche calabresi hanno fatto un definitivo salto di qualità, non limitandosi più a dare vita a delle s.r.l., ma anche a S.p.A., acquisendo, come nelle società quotate in borsa, i trucchi della scatole cinesi.

La 'ndrangheta è diventata, peraltro, una autentica banca parallela, «aiutando» imprenditori in difficoltà, offrendo fideiussioni bancarie e prestiti.

Negli istituti di credito i protetti dalle cosche ottengono «affidamenti mafiosi» per attività perennemente in perdita o mutui per immobili già di proprietà dell'organizzazione perché i direttori della filiale sanno bene che le garanzie sono altrove.

In cambio lo sportello «'ndranghetista» riceve capitali puliti o deleghe per conti correnti e assegni da utilizzare nei circuiti ufficiali.

Gli adepti, per i loro traffici, utilizzano internet con abilità singolare, ma, al contempo, doppi fondi e spalloni, criptano le loro comunicazioni con sistemi come Voip e Skype e poi parlano al telefono con l'antichissimo linguaggio dei pastori.

La 'ndrangheta ha costruito una rete fatta di *broker* e commercialisti, avvocati e dirigenti di banca: una mafia «invisibile» più dedita alle transazioni online che ai picchetti armati e alle estorsioni (in Lombardia, l'unica faida in corso insanguina la provincia di Varese, zona calda per la presenza dell'aeroporto di Malpensa) mentre le armi che continuano a pervenire dall'est europeo e dalla Svizzera vengono riposte negli arsenali.

In quanto «globale e locale» da semplice organizzazione si è tramutata in sistema.

La Lombardia, con 545 beni immobili confiscati è al quarto posto tra tutte le regioni italiane, dopo la Sicilia, la Calabria e la Campania. Purtroppo di tali beni solo 297 sono stati sinora destinati a fini sociali. Un ritardo inaccettabile perché depotenzia e ostacola la riappropriazione materiale e simbolica di tali ricchezze da parte della collettività, ancora più importante in una regione come la Lombardia, solo apparentemente lontana dalle aree di tradizionale insediamento mafioso.

Emblematico in questo senso è il caso di Buccinasco con la mancata assegnazione, già decisa in precedenza, del bar Trevi[14] all'associazione Libera, perché fosse trasformato in una pizzeria sociale.

A Milano e in Lombardia, più che altrove, l'aggressione al cuore economico delle mafie deve rappresentare la vera sfida.

2. Liguria

Ovunque l'insediamento delle 'ndrine fuori dalla Calabria ha una motivazione geocriminale o geoeconomia.

Così è per la Liguria e il porto di Genova, utile accesso per le rotte della droga. È una storia antica.

Nel 1994 l'operazione «Cartagine» porta al sequestro di 5 mila chilogrammi di cocaina, importata da un cartello «federato» colombiano-siculo-calabrese. E quale mi-

---

14. Già base del clan Papalia.

gliore luogo per riciclare le ricchezze prodotte dalle attività di spaccio, dal racket e dall'usura, interamente controllate lungo la costa ligure dalle 'ndrine calabresi se non il Casinò di San Remo? Ma nella scelta delle 'ndrine il valore della Liguria sta anche nel suo territorio frontaliero, lo stesso che dagli anni Settanta ha portato «i calabresi» in Costa Azzurra, dove hanno costruito vere e proprie reti logistiche per la gestione di importanti latitanze, sfruttando anche un rapporto di buona amicizia con la storica criminalità marsigliese.

In Francia, a Cap d'Antibes, sulla Costa Azzurra, viene arrestato, nei primi anni Ottanta, il boss reggino Paolo De Stefano e a Nizza nel 2002 è assicurato alla giustizia il boss Luigi Facchineri. Nella stessa zona vengono arrestati tra gli altri Antonio Rosmini, Antonio Mollica e Carmelo Gullace.

Il rapporto tra 'ndranghetisti che operano in Francia e quelli che risiedono in Liguria è quindi molto importante, legato alle caratteristiche transalpine della regione, come dimostra anche la presenza di una struttura denominata «camera di compensazione», con il compito di collegamento tra le attività dei due territori e la gestione dei latitanti, spesso in accordo anche con le famiglie operanti in Piemonte.

Secondo la Dna, «l'attuale articolazione regionale vede la presenza di "locali" a Ventimiglia, Lavagna, Sanremo, Rapallo, Imperia, Savona, Sarzana, Taggia e nella stessa Genova. Il locale più importante è quello di Ventimiglia, dove si concentra la regia complessiva delle manovre di penetrazione nei mercati illegali e legali dell'intera regione. In tale contesto risulta comunque confermata per la Liguria la tradizionale centralità delle 'ndrine del versante ionico reggino.»[15]

Tra le presenze delle 'ndrine si segnalano alcune tra le cosche storiche calabresi: i Romeo di Roghudi, i Nucera di Condofuri, i Rosmini di Reggio Calabria, i Mamone della piana di Gioia Tauro, i Mammoliti di Oppido Mamertina, i Raso-Gullace-Albanese di Cittanova, i Fameli che sono collegati ai Piromalli. Tutte affermate in diversi settori: edilizia, appalti pubblici, ristorazione e, negli ultimi anni, smaltimento dei rifiuti, anche se l'attività più remunerativa continua a rimanere quella del traffico di stupefacenti, in particolare la cocaina che, da diversi anni, come attestano numerose indagini giudiziarie, anche in Liguria è largamente gestita dalla 'ndrangheta.

A conferma della diffusione delle 'ndrine, molte indagini hanno coinvolto anche amministratori di località turistiche come Sanremo, Ospedaletti e Arma di Taggia, trovati in affari in veri e propri gruppi imprenditoriali-politico-affaristici.

3. Emilia Romagna

Altro territorio da anni invaso dalle famiglie calabresi è l'Emilia Romagna anche se con una presenza meno invasiva rispetto a quella di altre regioni settentrionali, visto

---

15. Dna, Relazione annuale, dicembre 2007.

che la regione non era tra le traiettorie fondamentali dei circuiti di emigrazione e il tessuto sociale e democratico fortemente strutturato ha fatto da barriera e ha impedito un radicamento in profondità. Non mancano però presenze importanti di uomini delle 'ndrine che trafficano droga e riciclano denaro sporco.

Risale agli anni Ottanta l'arrivo a Reggio Emilia di Antonio Dragone di Cutro, in provincia di Crotone. Come da copione, vi giunge a soggiorno obbligato e riesce a creare una struttura familiare molto robusta occupandosi del traffico di sostanze stupefacenti e di estorsioni. Le vittime delle estorsioni sono tutte originarie del comune crotonese. È una tecnica che, iniziata da Dragone, prosegue con il boss Nicolino Grande Aracri. Il motivo per cui l'estorsione viene esercitata solo verso i corregionali è da ricercare nel fatto che le vittime sono in grado di rendersi conto immediatamente della pericolosità intimidatoria del gruppo mafioso e quindi più propense a pagare anziché denunciare e correre il rischio di subire violente ritorsioni verso i familiari rimasti al paese di origine.

A Reggio Emilia, contrariamente a quello che normalmente accade quando opera fuori regione, la 'ndrangheta ha dato vita a omicidi, per via della faida che contrappose i Dragone con i Vasapollo, e ha creato rapporti stabili con Paolo Bellini, bandito di origine reggiana e personaggio inquietante. Uomo dai trascorsi tra le fila della destra eversiva, Bellini scappa per non finire in galera e rimane latitante per lunghi anni. È un abile ladro di provincia e un furbo latitante internazionale che, ben protetto, riesce ad avere appoggi e connivenze all'estero e in Italia. La sua è una vicenda complessa, ricca di misteri e in parte non ancora definitivamente chiarita. Bellini raccontò il suo incontro in carcere con un uomo di 'ndrangheta, Nicola Vasapollo di Cutro. Nacquero un'amicizia e un legame destinato a durare negli anni.

In carcere conobbe anche Antonino Gioè, uomo d'onore che faceva parte della Commissione provinciale di Cosa nostra. Ad un certo momento Bellini compare in Sicilia, in stretto contatto con i vertici di Cosa nostra. Il periodo è quello alla vigilia delle stragi di Capaci e di via d'Amelio. Bellini, secondo quanto è stato processualmente accertato, sembra fare un gioco spericolato con i vertici mafiosi siciliani. Tratta con Gioè, che riferisce a Brusca il quale, a sua volta, riferisce a Riina. È protagonista di una trattativa oscura che svolge come uomo in collegamento con importanti ambienti politici e dei servizi. Prima di impiccarsi in cella, tra le altre cose Gioè scriverà di lui e della sua ossessione per non averne compreso la vera identità. Nello stesso periodo – e in contemporanea ai contatti con i mafiosi e i carabinieri – Bellini entra nell'orbita di Vasapollo e diventa il killer di uno spezzone della 'ndrangheta che ha come teatro la città di Reggio Emilia. Sarà lo stesso Bellini, appena arrestato, a raccontarlo ai magistrati.[16]

---

16. Corte di Assise di Reggio nell'Emilia, *Sentenza contro Bellini Paolo + 2*, 5 luglio 2002. Per la ricostruzione dell'intera vicenda di Bellini è utile anche Procura della Repubblica presso il Tribunale di Bologna, *Richiesta di applicazione di misure cautelari nei confronti di Bellini Paolo + 2*, 6 luglio 1999.

Negli ultimi anni le indagini svolte dalla Dda di Bologna hanno accertato la presenza di soggetti appartenenti a diverse cosche mafiose nelle province di Bologna, Modena, Forlì, Rimini e Reggio Emilia.

A Modena, qualche anno addietro, sono stati arrestati diversi latitanti di elevato spessore criminale, tra cui Giuseppe Barbaro dell'omonima cosca di Platì, Francesco Muto dell'omonima cosca di Cetraro e, da ultimo, Giuseppe Cariati della cosca egemone nei Comuni di Cirò e Cirò Marina. Anche Parma e Piacenza, confinanti con le provincie lombarde, risentono dell'influenza sia degli 'ndranghetisti che operano in Emilia-Romagna sia di quelli che agiscono in Lombardia.

Come in tutte le realtà del Centro e del Nord, i gruppi criminali operano cercando di non fare troppo clamore, privilegiando la dimensione economico-imprenditoriale e quella finanziaria. Tuttavia, in alcuni momenti le cosche sono state costrette ad abbandonare la strategia della mimetizzazione e a dare vita ad azioni violente.

Questo potrebbe essere il motivo per cui, come ha rilevato la Relazione della Dna, il 26 luglio del 2006 viene fatto esplodere un ordigno nella sede dell'Agenzia delle Entrate di Sassuolo. L'Agenzia in quel periodo era impegnata in una rilevante attività di accertamento relativa a un'evasione dell'Iva di notevoli dimensioni da parte di società a capo delle quali c'erano soggetti che in passato avevano avuto rapporti con pregiudicati appartenenti a organizzazioni criminali di tipo mafioso dedite al riciclaggio di denaro sporco.[17]

---

17. Dna, Relazione annuale, dicembre 2007.

La presa nel territorio emiliano emerge anche dagli esiti positivi conseguiti da una approfondita indagine condotta dalla Dda di Catanzaro che ha portato all'arresto nel 2006 di alcuni imprenditori calabresi, ritenuti esponenti delle due cosche di stanza a Reggio Emilia e provincia. Costoro sono accusati di numerosi omicidi compiuti a Isola di Capo Rizzuto e di essere coinvolti in grandi operazioni di riciclaggio di denaro frutto di attività illegali a Reggio Emilia.

Nelle attività criminali delle 'ndrine crotonesi e di quelle reggine (come si evince dall'arresto del latitante Giuseppe Stefano Mollace, esponente di spicco della cosca Cordì di Locri, avvenuto nel marzo del 2006 nel modenese) rientra naturalmente anche la più redditizia delle attività criminali: la droga. Solidi sono i rapporti con individui provenienti dalle zone balcaniche allo scopo di importare cocaina e di controllarne lo smercio. Da un'attività investigativa condotta in collaborazione dalla Dda bolognese e da quella di Catanzaro risulta che esponenti della 'ndrangheta, originari della zona di Crotone, sono al vertice di cartelli italo-albanesi impegnati nell'importazione di rilevanti partite di droga.

Nell'industria del divertimento della costa romagnola non può mancare il gioco d'azzardo. Già in passato c'erano stati scontri tra mafiosi per il controllo delle bische a Modena e a Rimini. I forti guadagni che si possono ricavare dal gioco hanno spesso scatenato lotte tra gruppi criminali. Secondo la Dna, la lotta per il dominio provoca la rottura degli equilibri e degli accordi raggiunti tra gruppi rivali, che sfocia spesso in episodi delittuosi come nel caso dell'omicidio di Raffaele Guerra, avvenuto a Cervia il 14 luglio del 2003 o il ferimento, avvenuto il 10 febbraio 2005 a Riccione, di Giovanni Lentini, affiliato al gruppo 'ndranghetista capeggiato dal detenuto Mario Domenico Pompeo, ad opera di un gruppo di napoletani.

Un'indicazione sulla diffusione della criminalità mafiosa calabrese nel campo del gioco d'azzardo la forniscono le investigazioni coordinate dalla Dda di Bologna: un'organizzazione mafiosa calabrese controllava il gioco clandestino nelle zone di Rimini, Riccione, Bologna, Forlì e Ravenna. In un'altra indagine, condotta in stretta collaborazione tra la Dda di Bologna e quella di Catanzaro, è emerso, invece, un preoccupante circuito di riciclaggio di denaro che proveniva da una cosca mafiosa calabrese che, tramite alcune imprese con sede a San Marino, provvedeva a immetterlo nel circuito economico legale.

4. Piemonte

La presenza della 'ndrangheta in Piemonte è preponderante rispetto alle altre organizzazioni mafiose. Secondo il coordinatore della Dda di Torino «essa continua a occupare la posizione di maggior rilevanza nel nostro distretto.»

La 'ndrangheta risulta stabilmente insediata nel tessuto sociale e i rapporti tra le varie cosche sono regolati da rigidi criteri di suddivisione delle zone e dei settori di influenza. Non si tratta però di una criminalità che presenta le caratteristiche di pericolosità sociale e di radicamento sul territorio tipiche delle zone d'origine.

Come riferiscono i carabinieri del Ros nella relazione relativa al primo semestre del 2007: «In Piemonte continua a registrarsi la pervasiva presenza di gruppi criminali riconducibili alla 'ndrangheta, prevalentemente concentrati nel capoluogo e nella provincia torinese». Ogni gruppo mafioso, pur operando in autonomia, intrattiene rapporti con gli altri gruppi dislocati nella stessa area e in quelle dell'intera regione.

Secondo la Dna, «la 'ndrangheta in Piemonte è presente nel settore del traffico internazionale di sostanze stupefacenti, nel riciclaggio, e nell'infiltrazione nel settore dell'edilizia, grazie anche a una rete di sostegno e copertura di singole amministrazioni locali compiacenti. Il progressivo radicamento nella regione ha favorito la loro graduale infiltrazione nel tessuto economico locale, mediante investimenti in attività imprenditoriali e il tentativo di condizionamento degli apparati della Pubblica amministrazione funzionali al controllo di pubblici appalti. Appare quest'ultimo, in sostanza, il nuovo settore d'interesse, condotto attraverso attività più difficili da investigare perché riconducibili all'area apparentemente legale dell'economia, ma che nasconde in realtà reati come il riciclaggio, la corruzione, l'estorsione, la concorrenza illecita e così via. Sotto tale profilo risultano particolarmente sensibili all'infiltrazione mafiosa i comparti commerciali, degli autotrasporti e immobiliari. Ad essi si aggiunge quello dell'edilizia che consente, attraverso imprese operanti soprattutto in lavorazioni a bassa tecnologia, di condizionare il locale mercato degli appalti pubblici. Le aree di criticità maggiore sono quelle della Val d'Aosta, della Val di Susa e della città di Torino, come viene evidenziato dalle indagini giudiziarie in corso.»[18]

Il riferimento non può non riportare l'attenzione a quanto emerso da un'informativa dei Ros del maggio 2007 che ha suscitato grande eco sui media nazionali evidenziando l'attenzione delle cosche sui grandi appalti.

I soggetti appartenenti alla 'ndrangheta, o comunque ad essa riconducibili, mantengono stretti legami con le famiglie mafiose d'origine. Questo però non impedisce a chi opera nel territorio piemontese di avere una certa libertà di movimento e di poter intrattenere rapporti di collaborazione nell'ambito delle attività criminali poste in essere con altre cosche di diversa provenienza, ma operanti anch'esse in Piemonte. Per far questo non devono chiedere l'autorizzazione alla cosca alla quale fanno capo in Calabria. Stretti rapporti sì, ma anche autonomia nella gestione della struttura mafiosa in modo da poterla adattare alle esigenze del territorio nel quale svolge la propria attività criminale.

Bisogna dire che l'azione di contrasto delle forze di polizia e della magistratura ha prodotto negli anni Novanta importanti risultati, senza però riuscire ad estirpare dal territorio piemontese le 'ndrine che, a distanza di qualche anno dall'azione repressiva, si sono ricompattate, cambiando strategia e facendo emergere nuovi personaggi di

---

18. Dna, Relazione annuale, dicembre 2007.

elevato spessore criminale e una nuova generazione di capi figli dei vecchi boss.

Si può affermare che lo storico e stabile radicamento della 'ndrangheta sul territorio piemontese ha fatto di essa una componente, ovviamente marginale ma non trascurabile, del tessuto sociale ed economico della regione.

Le principali cosche operanti in Piemonte sono: i Pesce-Bellocco, i Marando-Agresta-Trimboli, che fanno parte della cosca Barbaro di Platì, gli Ursini e i Mazzaferro di Gioiosa Ionica, i Morabito-Bruzzaniti-Palamara di Africo. Tutte cosche importanti della provincia di Reggio Calabria, alle quali si sono affiancate le vibonesi dei Mancuso di Limbadi, dei De Fina e degli Arono di Sant'Onofrio.

Anche il controllo del mercato della droga provoca conflitti, come ha dimostrato l'omicidio di Rocco Femia, avvenuto il 3 febbraio 2007.

Nuovo è il collegamento tra gruppi mafiosi calabresi e un'organizzazione transnazionale bulgara, operante in diversi Paesi europei e dedita all'importazione di notevoli quantità di droga dal Sud America, servendosi di rotte e cargo organizzati da esponenti della malavita italiana, più specificatamente calabrese. La questione preoccupa perché l'indagine ha messo in luce l'esistenza di un'alleanza sinergica nel campo del narcotraffico tra organizzazioni mafiose italiane e straniere. È una delle prime volte che emerge un rapporto del genere.

Le penetrazioni negli apparati della Pubblica amministrazione anche in Piemonte rappresentano uno dei canali privilegiati della criminalità mafiosa per allargare il campo delle sue redditizie attività. Questo è quanto hanno accertato gli investigatori in un'indagine denominata «Magna Charta».

Del resto è in Piemonte il primo e l'unico comune del Nord, Bardonecchia, sciolto per infiltrazione mafiosa. Altro comune sensibile è San Sebastiano da Po. La cosca egemone sul territorio, la famiglia dei Belfiore, originaria di Gioiosa Ionica, fu responsabile dell'assassinio del procuratore della Repubblica di Torino, Bruno Caccia, il 16 giugno 1983. Per l'omicidio è stato condannato all'ergastolo Domenico Belfiore e nel 2007 i beni della famiglia, tre anni dopo la confisca da parte dello Stato, sono stati assegnati ad uso sociale.[19]

5. Roma e il Lazio

Anche a Roma e nel Lazio è particolarmente radicata la presenza di esponenti della 'ndrangheta calabrese. Recenti indagini hanno segnalato la presenza di interessi di pericolosi gruppi criminali calabresi con importanti attività economiche nella capitale. Essi sono attivi nel riciclaggio, in particolare negli investimenti immobiliari, nel settore alberghiero e nella ristorazione, nonché nel campo degli stupefacenti e nell'usura. Nel panorama complessivo sono emersi un forte inquinamento di interi settori economici e

---

19. Agenzia del Demanio, Elenco dei beni confiscati, Documento della Commissione n. 60/3.

lo sviluppo di forme di controllo delle attività illegali e delle attività economiche che si sviluppano su di una determinata area di attività (in particolare i settori del commercio di autoveicoli e di preziosi e il settore della ristorazione). L'ampiezza del territorio romano, e il giro di affari e attività economico-finanziarie che vi ruota attorno, hanno storicamente consentito alle organizzazioni criminali di inabissarvi le proprie attività illecite e di ripulirvi i loro capitali. La 'ndrangheta non poteva non cogliere queste opportunità, come dimostrano frequenti arresti operati proprio a Roma e nel Lazio su ordine dell'Autorità giudiziaria di Reggio Calabria e Catanzaro.

Negli ultimi anni, secondo la Dna, a Roma si sono insediati gruppi criminali di origine colombiana che agiscono in collegamento diretto con le organizzazioni del narcotraffico operanti in Colombia. Questi, a loro volta, sono collegati per il commercio dello stupefacente con gli altri gruppi presenti sul territorio romano e con elementi della 'ndrangheta calabrese.

Organizzazioni criminali campane e calabresi dedite al traffico di sostanze stupefacenti, alle estorsioni e al successivo riciclaggio, sono molto attive nel sud pontino, in particolare a Fondi, Formia, Terracina e Gaeta. Si tratta in particolare di insediamenti di gruppi legati alla 'ndrangheta e di clan casertani della camorra, le cui attività illecite hanno provocato un progressivo inquinamento del tessuto economico e sociale sul territorio, attività che si svolgono in maniera silenziosa, soprattutto tramite reti diffuse di prestanome.

È ormai nota la vicenda che ha portato allo scioglimento del Comune di Nettuno. Nel decreto di scioglimento si sottolinea la presenza nel territorio di un'organizzazione criminale direttamente collegata con la cosca Gallace-Novella di Guardavalle (CZ): non una semplice presenza criminale ma, secondo la relazione di accesso che porterà allo scioglimento, un fattore di inquinamento dell'intera azione amministrativa, dalla riscossione dei tributi alla gestione della nettezza urbana, al ruolo della polizia municipale, agli interventi sull'urbanistica. Il decreto fa riferimento oltre che all'indagine dei Carabinieri «Appia Mytos» del 2004 a un'operazione della polizia che nel 2005 ha portato all'arresto di 15 persone mentre ad altre sei ha notificato, su disposizione del tribunale di Velletri, l'obbligo della firma. Coinvolti nell'inchiesta due politici del Comune di Nettuno, un ex assessore alle attività produttive, un ex assessore al demanio (che si sono dimessi solo dopo le risultanze della commissione d'accesso) e un pregiudicato, conosciuto come trafficante internazionale di droga, Franco D'Agapiti. Attorno a lui si saldano attività illecite e apparentemente lecite, corruzione di pubblici funzionari, rapporti con la politica regionale e nazionale ai massimi livelli per accrescere il proprio prestigio in ambito locale e aumentare così anche il proprio potere intimidatorio.

Nel Lazio operano rappresentanti di note famiglie, molte delle quali della zona ionica della provincia di Reggio Calabria: Alvaro-Palamara, Pelle-Vottari-Romeo, Giorgi-Romano e Nirta-Strangio. Questi hanno concentrato i loro interessi anche nel tessuto economico-sociale della capitale, tramite la costituzione di società fittizie per la gestione di bar, paninoteche, pasticcerie, ristoranti.

In particolare, alcuni rappresentanti degli Alvaro-Palamara di Sinopoli (RC), capeggiati da Carmine Alvaro, e di Cosoleto (RC), comandati da Antonio Alvaro, nell'arco di pochissimo tempo si sono trasformati da piccoli artigiani locali ad imprenditori di primissimo livello, reinvestendo ingenti capitali, provenienti da traffici di droga, sviluppati sull'asse Germania-Italia. Il reinvestimento dei profitti privilegia ancora una volta gli esercizi di ristorazione nel centro di Roma, con prezzi di acquisto dei locali e delle licenze nettamente inferiori al loro valore reale e alle stime di mercato.

I rappresentanti delle famiglie Alvaro e Piromalli hanno collegamenti con lo storico clan di origine nomade dei Casamonica, gruppo romano attivo in vari campi: usura, estorsione, truffa, riciclaggio, ricettazione di autoveicoli e traffico internazionale di sostanze stupefacenti. Un'alleanza apparentemente anomala ma molto significativa, perché mette in contatto organizzazioni diverse tra loro per storia e natura ma tutte di alto livello criminale.

Tra Roma e la sua provincia, nelle zone di Anzio, Nettuno, Civitavecchia, Gaeta, Rieti, la Pontina e tutto il litorale laziale, emerge il ruolo di 'ndrine molto agguerrite: Alvaro, Avignone, Barbaro, Bellocco, Bruzzaniti, Carelli, Cosoleto, Farao, Franzè, Gallace, Mollica, Iamonte, Longo, Mammoliti, Mancuso, Marincola, Metastasio, Morabito, Nava, Nirta, Novella, Palamara, Pesce, Piromalli, Pisano, Rugolo, Ruga, Serpa, Serraino, Tripodoro, Versace, Viola, Zagari.

Una segnalazione particolare merita il porto di Civitavecchia dove numerose indagini hanno fatto luce sulle rotte che le cosche mafiose utilizzano per il transito di importanti partite di droga.

VIII. LE ROTTE DELLA COCAINA

1. L'approvvigionamento

È un dato pacificamente condiviso nelle investigazioni giudiziarie degli ultimi 10 anni quello per cui la 'ndrangheta calabrese, e in particolare le cosche del quadrilatero Africo-San Luca-Platì-Ciminà nella provincia di Reggio Calabria e il gruppo Mancuso di Limbadi nella provincia di Vibo Valentia, avrebbero acquisito un ruolo di grande rilievo nel traffico internazionale di sostanze stupefacenti e, in modo particolare, della cocaina proveniente dal Sud America. Le strutture morfologiche di questo traffico e le modalità operative attraverso cui esso si incanala risultano invece meno evidenti all'analisi investigativa.

La piena consapevolezza delle modalità con cui i gruppi calabresi si incaricano dell'approvvigionamento dello stupefacente, dello stoccaggio delle partite e del loro smercio sul mercato nazionale ed europeo ha ingenerato la convinzione che i clan siano pienamente operanti nel settore attraverso un consistente impegno di uomini delle 'ndrine in tutti gli snodi dell'attività di *transhipment* della cocaina.

Una ricognizione più accurata delle indagini e un esatto profilo criminale dei soggetti identificati e tratti in arresto nel corso di diversi procedimenti penali, soprattutto quelli instaurati presso le Direzioni distrettuali antimafia di Reggio Calabria e Catanzaro, induce a una diversa, e di certo non meno allarmante, conclusione.

Tra la fine degli anni Ottanta e l'inizio degli anni Novanta i capi delle 'ndrine calabresi che avevano a disposizione remoti canali di contatto con i produttori e gli intermediari sudamericani hanno preso direttamente in mano il nuovo business compiendo un salto di qualità, per passare dal ruolo di tradizionale smercio di ingenti partite di droga (cocaina ed eroina in primo luogo) sui mercati del Centro e del Nord Italia, a quello del diretto approvvigionamento (anche per svariate tonnellate, come ha evidenziato l'operazione «Cartagine» dell'Arma dei Carabinieri in Piemonte) presso i produttori colombiani e boliviani.

Questa opzione ha segnato un passaggio epocale verso la «terziarizzazione» della 'ndrangheta calabrese, che da utente finale o comunque operativamente marginale del narcotraffico, si è dislocata sulle rotte della cocaina assumendo impegni diretti con i cartelli dei produttori e diventando essa stessa in taluni casi (come ha dimostrato l'operazione «Decollo» dell'Arma dei Carabinieri con la Dda di Catanzaro) co-produttrice della pasta di coca nei laboratori siti presso le piantagioni del Sud America.

Questo salto di qualità è stato reso possibile dalla concomitanza di diversi fattori strategici.

In primo luogo, agli inizi degli anni Novanta, la scelta di Cosa nostra di condurre operazioni stragiste di intimidazione delle istituzioni repubblicane, ne ha notoriamente determinato l'isolamento, provocando una capillare attività di repressione da parte dello Stato che ne sta, ancora oggi, destrutturando le capacità operative e criminali. A questo va aggiunto il diffondersi tra le file di Cosa nostra del fenomeno dei collaboratori di giustizia che ne ha incrinato la credibilità sia agli occhi delle altre organizzazioni criminali italiane che a quelli dei grandi cartelli del narcotraffico internazionale.

L'assenza di un «soggetto forte» del prestigio e del rilievo di Cosa nostra e il concomitante endemico collasso degli assetti camorristici in Campania, fatta eccezione dei clan Casalesi, ha fatto sì che le 'ndrine calabresi operassero in posizione di sostanziale monopolio nell'approvvigionamento della cocaina. E questo proprio negli anni in cui la cocaina conquistava spazi crescenti nel mercato dei consumatori italiani ed europei. L'intuizione dei gruppi attestati nella provincia di Reggio Calabria è stata quella di trarre ulteriore profitto da questa posizione di acquirenti privilegiati per contrattare con i narcos l'acquisto della droga direttamente nei luoghi di produzione, e quindi a un prezzo relativamente modesto (tra i 1.200 e i 1.500 dollari al chilo), assumendosi il rischio del trasporto della merce direttamente dal Sud America.

Ciò da un lato ha offerto la possibilità di moltiplicare i profitti e dall'altro ha spinto le cosche calabresi a sperimentare una nuova logistica, capace di dischiudere ai gruppi di 'ndrangheta prospettive assolutamente innovative e inesplorate verso la modernizzazione dei traffici illegali.

Il secondo fattore strategico che ha di certo agevolato il disegno egemonico dei clan, è sicuramente rappresentato dalla loro capillare diffusione praticamente in tutti i continenti: dal Sud America all'Australia, dalla Germania alla Spagna, dalla Francia alla Svizzera al Canada.

Da anni le 'ndrine calabresi possono contare su gruppi di affiliati, spesso su veri e propri «locali», capaci di fornire il supporto organizzativo che questa evoluzione su scala internazionale imponeva.

Analizzando la biografia criminale di alcuni dei principali artefici di questa nuova architettura mafiosa è possibile cogliere alcune costanti: comuni frequentazioni, codetenzioni, parentele rivelatesi decisive per strutturare la logistica della droga in Paesi altrimenti estranei.

I processi di globalizzazione, la caduta del muro di Berlino, l'allargamento dell'Unione europea, la nuova area di Schengen, sono stati colti dalle famiglie calabresi, per dare impulso a questa costruzione di rotte non solo del narcotraffico ma anche dei capitali illeciti.

Tali recenti fenomeni hanno finito per agevolare – a dispetto di ogni intenzione – proprio i gruppi di 'ndrangheta che più di altri potevano vantare alleanze e presenze nel nuovo scenario politico-economico.

Ancora oggi destano sorpresa alcune intercettazioni telefoniche di circa 10 anni or sono nel corso delle quali uomini delle cosche di San Luca compongono numeri di telefono boliviani e peruviani e colloquiano in dialetto calabrese con i propri complici che risiedono da anni in quel continente. Così come inquietano le immagini riprese dalla Polizia di Stato italiana e dalla Polizia canadese nelle quali si intravede un boss latitante della caratura di Antonio Commisso passeggiare tranquillamente tra una decina di compaesani e altri mafiosi tra le strade di Toronto.

D'altronde, da Antonio Giampaolo catturato in Venezuela nel 2001 a Luigi Facchineri, catturato a Cannes nel 2002, a Santo Maesano catturato a Madrid nel 2003, per giungere sino all'operazione che ha determinato la cattura di sei latitanti tra il Belgio e l'Olanda nel 2006, è ormai evidente come le strutture della 'ndrangheta coinvolte anche nel narcotraffico si siano costantemente avvalse di una capillare rete transnazionale e internazionale per rafforzare la propria posizione di egemonia sulle altre organizzazioni criminali.

Un terzo fattore forse determinante che ha stabilmente contribuito ad accrescere l'operatività criminale delle 'ndrine è sicuramente rappresentato dalla spendibilità nello scenario delle transazioni illegali nazionali e internazionali di una sorta di «logo», un marchio di «qualità» e affidabilità indiscusso presso i partner e le altre organizzazioni allocate nella filiera del narcotraffico.

Le famiglie calabresi infatti sono tra i pochissimi soggetti criminali in grado di approvvigionarsi costantemente di cocaina presso i fornitori sudamericani, assicurando comunque il pagamento delle partite di stupefacente.

I risultati del procedimento penale denominato «Igres»

della Dda di Reggio Calabria[1] sono al riguardo particolarmente significativi nella parte in cui evidenziano il modo in cui gli uomini della 'ndrangheta calabrese, a differenza di elementi pur di primo piano di Cosa nostra palermitana, fossero abilitati al prelievo della cocaina a condizioni di assoluto favore in Colombia e nella piena fiducia dei fornitori. Gli stretti collegamenti con soggetti operanti nei Paesi produttori hanno agevolato la crescita della 'ndrangheta sino a renderla punto di riferimento anche
per le altre organizzazioni endogene.[2]

Indubbiamente l'attività di contrasto svolta dallo Stato
in questi anni ha determinato assestamenti e svolte opera-

---

1. Procedimento penale n. 4966/00 RGNR Dda L'indagine condotta in
coordinamento con la Procura della Repubblica di Palermo ha avuto
ad oggetto l'importazione via nave dal Sud America di ingenti quantitativi di cocaina operata in consorzio tra le cosche reggine della zona
ionica (Marando, Trimboli, Sergi) ed elementi di primo piano delle famiglia mafiosa dei Miceli di Palermo e ha avuto quale momento sa-
liente il sequestro nel gennaio 2002 nel porto del Pireo in Grecia di
220 chili di cocaina. Organizzatori del traffico illecito, che per le sue
dimensioni ha imposto contatti operativi continui con le Sezioni della
Dia di Roma, Atene, Bogotà, Caracas, sono risultati essere ben cinque
latitanti di rilievo della 'ndrangheta reggina e palermitana, tra cui il fa-
migerato Roberto Pannunzi, a carico del quale sono stati celebrati in-
numerevoli processi in Italia per traffico di sostanze stupefacenti e le
cui attività avevano determinato la Dea all'apertura a suo carico di alcune decine di *dossier* informativi.
2. L'operazione «Galloway» della Dda di Reggio Calabria ha dimostrato
lo stretto rapporto d'affari con i cartelli colombiani e anche con almeno una struttura paramilitare colombiana che risulta coinvolta in attività di produzione e fornitura di cocaina.

tive particolarmente significative da parte della 'ndrangheta calabrese, che attualmente gestisce il narcotraffico della cocaina con modalità solo parzialmente coincidenti con quelle in uso nel decennio scorso. I procedimenti penali celebrati in Calabria, in Piemonte e in Lombardia per tutti gli anni Novanta a carico di boss e gregari delle famiglie 'ndranghetiste hanno determinato l'irrogazione di pesanti condanne, spesso molto più consistenti di quelle derivanti dalla celebrazione di processi per il delitto di associazione mafiosa (che soffre il duplice svantaggio di un onere probatorio per l'accusa estremamente gravoso e di una pena edittale inferiore a quella prevista per il «reato di associazione finalizzata al traffico illecito di sostanze stupefacenti» art. 74 TU 309/90). Ciò ha comportato un progressivo affievolimento del diretto impegno degli uomini di primo piano delle «locali» calabresi nel traffico internazionale di droga.

La cura del territorio, l'assistenza ai latitanti e ai detenuti, le estorsioni, gli appalti, il riciclaggio, i rapporti di infiltrazione nella politica e nelle istituzioni sono tutti settori illegali che – come si è dimostrato ampiamente in questo testo – la 'ndrangheta calabrese e reggina in particolare non poteva e non intendeva dismettere.

2. Le ragioni di un primato

Il sistema criminale di questa peculiare associazione regge a condizione che non se ne alteri la natura più profonda, che non divenga cioè una multinazionale degli affari illeciti in cui l'originario spirito criminale arretri a vantaggio dello spirito imprenditoriale.

La sua forza sta nell'osmosi tra i due fattori. La meta-morfosi della 'ndrangheta in mera criminalità organizzata ne segnerebbe la rovina, ne esaurirebbe inesorabilmente la forza vitale e la leadership.

Il frequente ritrovamento nei covi dei boss, come nelle spoglie abitazioni degli affiliati, di pagine che recano vergate a mano le formule di iniziazione, il perpetuarsi nelle carceri dei riti di attribuzione dei «gradi» tra affiliati, sono il segno evidente di una «cultura» criminale che non vuole recedere e che, anzi, pretende di rappresentare il collante identitario dell'associazione. Non è casuale, allora, che i sequestri di simili documenti siano stati più numerosi successivamente al profilarsi della minaccia costituita dalle seppur sparute collaborazioni di giustizia. Quasi a dimostrare una precisa opzione verso un nuovo, più convinto, rispetto dei vincoli di omertà e di solidarietà criminale. Un impulso a rinserrare le fila, fondato sul vincolo culturale e di omertà.

In questo stretto corridoio operativo e strategico la 'ndrangheta calabrese, coinvolta nel narcotraffico, doveva dipanare un'opzione di non secondario rilievo: da un lato si trattava di allentare l'impegno diretto nelle transazioni dello stupefacente che avevano determinato la condanna di uomini di primo piano delle cosche a decine e decine di anni di reclusione (è il caso delle famiglie Barbaro, Sergi, Nirta, Morabito, Strangio, Pelle, Mancuso, Marando, Trimboli e altre ancora); e dall'altro doveva salvaguardare l'esigenza di non essere soppiantati nelle rotte dal Sud America da altri, parimenti agguerriti, raggruppamenti criminali, in primo luogo gli uomini della camorra e i mafiosi catanesi da sempre attivi in questo campo.

La scelta, come dimostrano i diversi procedimenti, è stata quella di creare una selezione per la composizione delle «cellule» operanti nei Paesi di produzione della droga e di partenza del narcotraffico, rigorosamente basata sulla affidabilità e devozione alle famiglie oltre che sulla capacità. Spesso ad esempio si tratta di uomini in grado di parlare in più lingue, incensurati e pressoché sconosciuti alle forze di polizia, in modo da potersi liberamente muovere nei valichi di frontiera e al controllo dei passaporti nei vari scali internazionali.

Questo implica una forte gerarchizzazione e compartimentazione delle attività criminali, ma sempre riconducibili al nucleo 'ndranghetistico originario per la parte concernente la direzione e la promozione della cooperazione a delinquere. Di contro, i contatti operativi, i viaggi in Sud America e nei luoghi di arrivo e stoccaggio della droga (principalmente l'Olanda e la Spagna), la ricerca delle collusioni doganali e di copertura restano affidati ad una seconda linea di soggetti che, pur calabresi o a essi vicini, non vantano una diretta appartenenza alla «locale» di riferimento.

È una sorta di struttura a compartimenti stagni, capace di resistere all'azione repressiva in ragione dell'estrema fungibilità dei personaggi coinvolti, dell'incompleta conoscenza dei meccanismi in cui si snoda il narcotraffico, della catena di omertà che comunque avvolge gli associati.

Tutto ciò naturalmente è solo una descrizione delle conseguenze più immediate che la tecnica organizzativa realizzata dalla 'ndrangheta produce sui tentativi di contrasto da parte dello Stato. E tuttavia non si può trascurare che l'azione antidroga sembra difettare dei connotati di una vera e propria azione antimafia.

Per quanti sforzi sia dato profondere nel tentativo, spesso riuscito con risultati straordinari, di contenere l'operatività dei cartelli calabresi diventati delle vere e proprie strutture centralizzate di intermediazione internazionale, la pressione mafiosa sul territorio calabrese non risulta minimamente intaccata. Anzi. Per altro, difficilmente le indagini sul narcotraffico pervengono all'identificazione e alla disarticolazione della rete che cura il pagamento delle partite di droga e il riciclaggio degli enormi proventi. Ciò dimostra che i pagamenti e le transazioni avvengono su canali paralleli e del tutto ignoti ai soggetti che sono impegnati nel trasporto dal Sud America delle partite di cocaina. Di fronte a questa capacità organizzativa, alla sua «invisibilità» nelle dinamiche della globalizzazione criminale e in quelle della globalizzazione finanziaria legale, è necessario anche riorganizzare le forme e le strutture del contrasto con una ripartizione del lavoro investigativo tra indagini che hanno per oggetto il narcotraffico su scala internazionale e indagini che concernono i settori tradizionali dell'egemonia mafiosa sul territorio calabrese e nazionale.

Oggi per contrastare la doppia dimensione della 'ndrangheta occorre un punto d'equilibrio tra la repressione dei nuovi cybercrime che le 'ndrine al pari di altre organizzazioni perpetrano per reimpiegare i proventi della droga, con un contrasto permanente alle reti della cocaina, e l'attenzione alle infiltrazioni nei luoghi delle province calabresi più pesantemente assoggettati al controllo mafioso.

3. Linee di tendenza

L'esame delle investigazioni più significative condotte negli ultimi anni dalle Dda di Catanzaro e Reggio Calabria evidenzia un trend sostanzialmente uniforme nello svolgimento delle attività legate al narcotraffico, con una novità, la presenza di vere e proprie joint-venture.

Significativa è l'indagine denominata «Palione» della Dda di Reggio Calabria che ha evidenziato accordi tra famiglie calabresi di volta in volta alleate con cosche siciliane o campane, per l'acquisto di ingenti partite di cocaina successivamente suddivise tra i diversi gruppi in relazione ai loro mercati di destinazione.

In questa tipologia di narcotraffico sono sempre i gruppi della 'ndrangheta calabrese a curare la logistica e il conseguente approvvigionamento, trasporto e stoccaggio della cocaina sulle diverse piazze.

Per ramificare questa rete le 'ndrine hanno collocato stabilmente propri uomini, spesso latitanti in Italia, sugli snodi principali delle rotte, a presidio dei luoghi di arrivo dei carichi di droga sotto copertura.

La Spagna e l'Olanda, ma anche il retroterra belga e tedesco, sono divenute le nazioni predilette dai narcos calabresi per attendere l'arrivo dei container e curare le conseguenti transazioni.[3]

Anche i porti italiani, primi fra tutti Livorno, Salerno e

---

3. Nel corso del procedimento penale denominato «Nasca-Timpano» della Dda di Reggio Calabria venivano intercettate due sole conversazioni di estrema importanza, tra gli indagati Rosario Arcuri di Rosarno (zona tirrenica della provincia di Reggio Calabria) e Francesco Strangio di San Luca (zona ionica della provincia di Reggio Calabria), latitante in Belgio. Nella prima, delle ore 12.38, gli indagati discutevano in maniera ampia dell'arresto di Primerano, episodio del quale Arcuri non riusciva a fornire alcuna spiegazione. Il rosarnese riferiva che erano stati sequestrati 14 chili, quindi quasi tutto il carico, e che anche l'arresto del corriere di Antonio Ascone, Fabrizio Gesuele, era stato effettuato dallo stesso Reparto: «...quasi tutti erano 1,4... mi sembra che erano... (omissis)... eh, ma è andato fuori strada proprio qua, proprio qua... (omissis)... ma, cosa di niente... ma io quello che non mi spiego là... l'hai saputo quell'altro, sì? Che ti avevo detto io... (omissis)... e quell'altro là... per quel parente del suocero di Nascaredda... (omissis)... e che cavolo capisco io... non, parola d'onore io... e che addirittura, addirittura per quello là dicono che sono intervenuti questi di qua...» Lo Strangio lasciava chiaramente intendere al suo interlocutore che era sua intenzione cercare di porre rimedio alla situazione fornendogli un nuovo carico di stupefacente («...eh ma sto vedendo se te la combino qua qualche cosa...») e aggiungeva che in Belgio, nei giorni precedenti, era stata effettuata un'operazione di polizia nel corso della quale erano state arrestate delle persone che si occupavano del cambio di denaro ed erano conosciute, oltre che dall'Arcuri, anche dall'Ascone («...sono andato a trovare l'altro amico suo sono andato a trovarlo... [omissis]... sì per il fatto dei documenti... si sbrigava i documenti, si sbrigava no?... [omissis]...sì, sì il Lungo, il Lungo là quello era... [incomprensibile]... quello che quel giorno non ne aveva... [omissis]... il vecchietto...») A questo punto appare utile precisare che, così come si è appreso dalla Direzione Centrale dei Servizi Antidroga, nel mese di novembre 2001, in Belgio, venivano tratti in arresto tali Caldarone Alfonso classe '51, Antonucci

Gioia Tauro,[4] continuano a occupare un ruolo importante nelle rotte della cocaina, particolarmente quando occorre provvedere all'immediata consegna agli acquirenti italiani e quando la contenuta entità del carico (massimo una tonnellata) agevola le operazioni di sdoganamento e smistamento veloce della partita.

Infine, va sottolineato l'impegno profuso dai clan della 'ndrangheta nel conservare collegamenti stabili con i narcos colombiani e sudamericani con i quali hanno rapporti privilegiati, quando non esclusivi.

Da diverse inchieste emergono anche contatti di altri gruppi criminali, ad esempio camorristi, con elementi di organizzazioni colombiane del narcotraffico, si tratta di «meri» rivenditori che nulla hanno a che fare con i capi delle organizzazioni che rivestono posizioni apicali nella produzione mondiale della cocaina.

Carmelo classe '72 e Verburgh Roland classe '39, tutti per riciclaggio di denaro sporco; gli stessi, sempre secondo quanto si apprendeva dall'organismo centrale, avrebbero cambiato nel periodo 2000-2001 una somma pari ad oltre 800 milioni di franchi belgi presso un'agenzia di cambio di Bruxelles.

4. Nel settembre 2005 nel porto di Livorno, furono sequestrati 691 kg di cocaina nell'ambito dell'operazione «Imelda»; nel porto di Salerno, nell'ambito delle operazioni «Pandora bis» e «Persignan 2004», sono rispettivamente stati sequestrati 268 kg e 75 kg di cocaina. Nel mese di ottobre 2006, il porto di Gioia Tauro è stato interessato dal sequestro di 75 kg di cocaina. Fonte: Direzione per i Servizi Antidroga.

4. Rapporti con terroristi e paramilitari

Questo livello di rapporti e di relazioni con le grandi reti del narcotraffico internazionale, è stato dimostrato nell'operazione «Decollo» della Dda di Catanzaro portata a compimento nel gennaio 2004 che, tra l'altro, ha evidenziato alcuni aspetti inquietanti relativi ai collegamenti esistenti tra la 'ndrangheta e organizzazioni terroristiche come i paramilitari colombiani delle famigerate Auc di Salvatore Mancuso e l'organizzazione basca Eta. Con le Auc la 'ndrangheta ha saputo creare un solido legame d'affari che le ha consentito la scalata verso il controllo di «maggioranza» di tutto il sistema legato al traffico della cocaina colombiana. Il capo delle Auc, Gomez Manuel Salvatore Mancuso, è nato il 17 agosto del 1964 a Montera, nel nord della Colombia, da padre italiano originario di Sapri, e ancora oggi continua ad avere il passaporto italiano.

Come ha ricordato il procuratore nazionale antimafia: «Mancuso attualmente si trova agli arresti domiciliari, a quanto pare dorati». La Procura di Catanzaro, in relazione all'operazione «Decollo» ha chiesto la sua estradizione. Anche gli Stati Uniti l'hanno richiesto, ma essendo stata varata in Colombia una normativa sulla cosiddetta pacificazione generale con la possibile restituzione da parte di queste unità paramilitari delle armi in cambio dell'ammissione dei reati, sembra possa esistere la possibilità che Mancuso non venga estradato in nessuno dei due Paesi che lo richiedono.[5]

---

5. Audizione del procuratore nazionale antimafia Piero Grasso del 19 giugno 2007.

Anche gli interessi comuni e i legami tra i narcos colombiani e l'Eta sono stati ampiamente documentati.

Emblematico è l'episodio secondo cui i narcos colombiani del famoso cartello di Cali hanno fatto ricorso all'organizzazione terroristica basca per portare a buon fine il pagamento di una fornitura di droga da parte di un acquirente calabrese al quale come forma di intimidazione è stata trasmessa, a mezzo fax, una fotografia ritraente la propria azienda.

La fotografia era stata scattata da alcuni uomini dell'Eta su incarico del cartello colombiano, che aveva minacciato e avvertito il trafficante calabrese che, in caso di mancato pagamento, gli avrebbe fatto distruggere l'attività commerciale. Gli esecutori materiali dell'azione sarebbero stati proprio gli uomini dell'Eta. La minaccia, come si rileva dall'ordinanza di custodia cautelare, non venne portata a termine grazie all'intervento di un noto narcotrafficante ed esponente della 'ndrangheta calabrese, che garantì il pagamento della merce.

La stessa indagine è particolarmente rilevante perché riguarda una grossa quantità di droga e soprattutto perché fa emergere un vero e proprio network criminale formato dalle componenti vibonesi, ionico-reggina, australiana, spagnola, venezuelana e dai cartelli colombiani. Un altro aspetto da sottolineare è relativo alle modalità delle spedizioni, con centinaia di chili di cocaina sequestrati nel porto di Gioia Tauro all'interno di alcuni blocchi di marmo in cui erano state praticate delle cavità successivamente ricoperte con materiale di risulta.

Nel complesso l'intera articolazione criminale, così

come si è configurata, ha dato luogo, di fatto, a un'unica struttura «federata» formata, da un lato, dal consorzio criminale vibonese-ionico-reggino con compiti di import-export, che garantiva anche le spedizioni di droga verso l'Australia, dove agiva una base vibonese; dall'altro, da più «cartelli colombiani» fornitori che assicuravano le spedizioni di cocaina all'Italia; e infine da più strutture operanti in diversi Paesi esteri. Tra questi Stati il Venezuela, ove gli stupefacenti venivano stoccati e da dove, il più delle volte, erano spediti; la Spagna, dove emissari dei «cartelli colombiani» avevano l'incarico di riscuotere i pagamenti delle partite di cocaina spedite, prendere accordi e contattare personalmente, anche in Italia, i vari acquirenti.

In questo contesto è utile citare anche l'operazione «Zappa», della Dda di Reggio Calabria, che ha consentito di ricostruire la rete di rapporti e collegamenti tra la 'ndrangheta e i produttori colombiani e venezuelani. Gli affari non erano limitati alla sola droga, ma anche alle armi, che sarebbero state utilizzate dal connubio reggino-colombiano per favorire l'evasione di alcuni leader del narcotraffico. L'indagine ha, inoltre, messo in evidenza i contatti intercorrenti tra esponenti dell'eversione, quali un ex aderente a Prima Linea, Elfio Mortati, ed esponenti della 'ndrangheta riconducibili al boss della locride Santo Maesano.

5. Indagini e processi

Alcune indagini offrono uno sguardo sinottico sul modus

operandi della 'ndrangheta calabrese in questo strategico settore illegale.

È il caso dell'indagine denominata «Stupor mundi», della Dda reggina, che per la durata e l'ampio scenario internazionale entro il quale si è sviluppata costituisce un punto di sintesi efficace delle riflessioni sin qui svolte. È bene ricostruire le fasi, le scansioni temporali, a partire dal 2002, e le località dove si sono svolte la progettazione e l'esecuzione delle condotte:

I fase   13 novembre 2002: sequestro di 170 chilogrammi di cocaina e arresto del calabrese Maurizio Pelle a Bova Marina.

II fase   dicembre 2002/gennaio-febbraio 2003: cattura dei latitanti Michele Franco, Giuseppe Ladini e delle persone che hanno favorito la loro latitanza in contatto con gli esponenti della 'ndrina Marando-Trimboli di Platì, i Pannunzi e le cosche di Ciminà. Anche in questo caso, sequestro di stupefacenti.

III fase 29/30 marzo 2003: arrestati per favoreggiamento alla latitanza di Giancarlo Polifroni, Bruno Polito, Francesco Morabito, Maria Concetta Spagnolo, Nicola Murdaca.

IV fase   12 aprile 2003: sequestro di 9 chilogrammi di cocaina e arresto a Torino dei cittadini lituani Stumbrys Aras e Bileinskienè Vilija.

V fase   18 aprile 2003: sequestro di 6 chilogrammi di cocaina e arresto di Rocco Costa (nato il 10.1.1966 a Vibo Valentia) al casello autostradale Roma nord.

VI fase   18 aprile 2003: sequestro di 62 chilogrammi di cocaina e arresto dei calabresi Girolamo D'Agostino a Reggio Calabria e Antonio D'Agostino a Lamezia Terme.

VII fase   maggio 2003: invio di un imprecisato quantitativo di stupefacente dall'Olanda da parte di Giancarlo Polifroni. Viaggio di Giuseppe Morabito e Rosario Marando in Olanda per visionare stupefacente. Nicola Polito trasporta denaro in Olanda e, successivamente, lo stupefacente viene inviato in Italia. La ricostruzione dei fatti avviene tra la Calabria e la Lombardia tra l'11 e il 15 maggio 2003.

VIII fase   11 giugno 2003: sequestro a Ponte Chiasso di 28,735 kg di cocaina, eseguito a carico di Antonio Vita; 13 kg del quantitativo sequestrato erano destinati a Giuseppe Morabito.

IX fase   settembre 2003 e maggio 2004. Giuseppe Morabito è tratto in arresto in data 10.9.2003, unitamente a Walter Anzil, dagli agenti doganali francesi presso la frontiera franco-spagnola per la detenzione di 101.000 euro e 150.000 dollari. Nicola Polito viene arrestato ad Amsterdam unitamente a cittadini colombiani trovati in possesso di circa un milione di euro.

X fase   settembre-dicembre 2003: incontri e scambio di denaro tra Aurelio Mammoliti e Bruno Polito; introduzione di stupefacente dall'Olanda e trasporto in Calabria di parte del carico tramite Giuseppe Ferito.

XI fase   febbraio 2004: svelata l'organizzazione di cala-
           bresi residenti a Volpiana, i contatti con Polito
           e con corrieri spagnoli.

XII fase   intercettata la rete di spaccio di droga sul mer-
           cato milanese e del Nord Italia: Rocco Barbaro,
           Giuseppe Rizzotto, Giuseppe Costanzo, Do-
           menico Spagnolo, Pietro Villirillo, Francesco
           Morabito, Franco Di Virgilio, Bruno Polito,
           Giuseppe Scarcella, Antonio Scarcella e Fran-
           cesco Morabito.

XIII fase 27 marzo 2004: rinvenimento di 13 pistole e di
           20 kg di cocaina trasportate e occultate da Pie-
           tro Oliva a Novara.

XIV fase   4 febbraio 2005: favoreggiamento alla latitanza
           di Bruno Giorgi, Fortunato Giorgi e Giancarlo
           Polifroni e cattura del latitante Bruno Giorgi a
           Manage-Charleroi (Belgio).

Da questa ricostruzione emerge uno spaccato realisti-
co e verosimilmente replicabile, per tutte le investigazioni
svolte sulle relazioni transnazionali della 'ndrangheta calabrese (indagini «Sim Card» 1 e 2, «Nasca» e «Timpano»,
«Marcos», «Iberia», «Zappa» 1, 2 e 3, indagine «Smeral-
do», «Coscion» e altre).

Come si vede, si tratta di una rete perfetta fatta di latitanti che dall'estero coordinano l'attività di approvvigionamento, di soggetti incensurati che curano i movimenti
lungo le rotte e il trasporto dello stupefacente una volta
che sia giunto in Europa, di armi e droga destinati in parte alla Calabria, dove da lungo tempo è ipotizzato avven-

ga il taglio della cocaina pura che giunge dalla Colombia e dalla Bolivia.[6]

L'analisi non sarebbe completa senza considerare talune peculiarità del contesto processuale che, purtroppo, tende oggi a smarrire l'efficacia deterrente che aveva esercitato negli anni Novanta. La scelta massiccia del rito abbreviato con lo sconto di pena di 1/3 per gli imputati condannati, l'inopinato consenso talvolta prestato in fase d'appello dall'ufficio di Procura generale alle procedure negoziali di patteggiamento sono tutti escamotage processuali che hanno di fatto vanificato l'entità delle pene comminate ai narcotrafficanti calabresi i quali, con una scelta di «basso profilo», riescono sostanzialmente a sfuggire ai rigori delle sanzioni previste dal TU 309/90. Se a ciò si associa la difficoltà di individuazione dei patrimoni illegal-

---

6. Per quanto concerne l'ambito nazionale, non esiste altra organizzazione criminale che possa vantare così ampie ramificazioni come la 'ndrangheta:
• Piemonte (operazione «Magna Charta» di Torino);
• Lombardia (operazioni «Scacco al Re» e «Ombretto» che vede coinvolte cosche calabresi nel traffico di cocaina nelle provincie di Como, Lecco e Milano);
• Veneto (operazione «Cow» che vede coinvolta una 'ndrina stanziata nelle provincie di Vicenza, Venezia e Padova);
• Toscana (operazione «Ares D.I.A.»);
• Umbria (operazione «Arcoterium»);
• Lazio (operazione «Quantum» che vede coinvolti cittadini di origine calabrese residenti in Australia operanti anche nella provincia di Latina).

mente accumulati dei trafficanti calabresi in Italia e all'e-
stero se ne ricava la convinzione che lo straordinario sfor-
zo di contrasto realizzato dagli apparati di polizia resti
senza conseguenze effettive e durevoli sulle reti dei narcos
calabresi, la cui destrutturazione appare a oggi la vera sfida da vincere da parte dello Stato.

IX. UNA SINTESI

Con questa relazione la Commissione Parlamentare Antimafia intende contribuire ad aprire uno squarcio non solo nella conoscenza e nell'analisi di una organizzazione criminale ma anche sul sistema di relazioni sociali economiche e politiche di una regione importante come la Calabria.

Non vi è alcuna pretesa conclusiva. Sarebbe in contraddizione con il dinamismo e persino la «liquidità», come si è detto all'inizio, di una organizzazione in continua trasformazione che, proprio per questo, richiede un livello di attenzione e una capacità di lettura critica permanente delle sue dinamiche criminali e dei nessi sociali, culturali, economici che, storicamente, ne caratterizzano la forza.

Nel tempo breve dell'inchiesta che la Commissione ha sviluppato, segnato dalla conclusione anticipata della XV legislatura, si è voluto porre in evidenza questo salto di qualità che oggi fa della 'ndrangheta calabrese una delle grandi holding economico-criminali della globalizzazione.

Per dare senso a questa analisi non potevamo non cogliere l'attività ossessiva e maniacale della 'ndrangheta nel controllo del territorio. È questa l'essenza del suo agire e pensare, insieme, localmente e globalmente.

Nella Calabria di oggi gran parte delle attività economiche, imprenditoriali e produttive sono condizionate, infiltrate e alcune dirette dalle cosche della 'ndrangheta.

Abbiamo scelto il porto di Gioia Tauro e l'autostrada Salerno-Reggio Calabria come metafore di una modernizzazione fortemente segnata dal ruolo, dalle attività e dai condizionamenti delle cosche. Si tratta di storie che è bene imprimere nella memoria collettiva e nell'attività di una istituzione come la Commissione Parlamentare Antimafia.

E abbiamo messo a nudo i meccanismi di controllo e gestione dei flussi di denaro pubblico nazionali ed europei, e la capacità delle 'ndrine nel corrompere la Pubblica amministrazione per trarre vantaggio da ogni forma di asservimento delle risorse pubbliche ai loro interessi.

Avremmo potuto raccontare tante altre storie e ricostruire altre inchieste giudiziarie per dimostrare come negli ultimi 40 anni la 'ndrangheta abbia rappresentato il convitato di pietra di tutte le grandi scelte che dovevano incidere sullo sviluppo della regione e invece l'hanno relegata agli ultimi posti in tutte le graduatorie economiche e sociali.

Avremmo potuto raccontare come i mafiosi delle due sponde dello Stretto e quelli di oltre-oceano, già alla fine degli anni Novanta, erano interessati al grande affare della costruzione del ponte tra Calabria e Sicilia o come lo stesso meccanismo di spartizione degli appalti svelato per l'autostrada Salerno-Reggio Calabria, è da decenni una delle cause del non ammodernamento della strada della morte, la Statale 106 ionica.

O ancora avremmo potuto descrivere come anche in questa regione i rifiuti, come per la camorra, stimolino già da anni gli appetiti delle 'ndrine.

Parlando della Sanità, avremmo potuto descriverne il degrado da Villa San Giovanni al Pollino. Oppure ci saremmo potuti trasferire al Policlinico di Messina, da sempre invaso dagli interessi della 'ndrangheta, terreno di affari, spartizioni clientelari, costruzione di carriere, inquietanti rapporti tra accademici e poteri occulti, anche teatro di oscuri omicidi. Tutto, e sempre, in stretto rapporto con le cosche della Piana e della Ionica reggine.

Abbiamo preferito portare alla luce i drammi delle Asl di Locri e di Vibo, emblemi del fallimento politico e della delegittimazione morale della gestione della Sanità pubblica, nonché degli interessi mafiosi nella Sanità privata in spregio a ogni diritto, fino a quello più sacro, della vita umana.

È la Sanità lo spartiacque di civiltà che caratterizza l'intero dramma politico e sociale che vive la Calabria. Come i rifiuti lo sono per la Campania.

La salute saccheggiata, spartita, mercificata, svenduta per un consenso politico che privilegia l'ossessiva ricerca del profitto sulla vita.

La Sanità pubblica viene fatta morire per alimentare il senso comune dell'utilità della Sanità privata. Chi governa crea così l'alibi per drenare risorse pubbliche verso un sistema d'affari privato che spesso, in Calabria, ha come soggetto diretto d'impresa la 'ndrangheta.

Abbiamo scelto spaccati precisi per lasciare aperte la ricerca e l'inchiesta.

La 'ndrangheta è forte, per le sue ricchezze ma anche perché la sua capacità economica riesce a soddisfare i bisogni della gente quando questi non trovano nella politica la possibilità di ricevere risposte pubbliche.

Ma negli ultimi anni non tutto è rimasto grigio. La risposta dei giovani di Locri dopo l'omicidio Fortugno ha rotto un silenzio che durava da troppo, e le migliaia e migliaia di persone che il 21 marzo del 2007 hanno raggiunto Polistena per la giornata della memoria contro le mafie, strette attorno a tanti familiari di vittime, hanno dato senso e sostanza agli sforzi di impegno civile. Un momento significativo, in una terra dura come la Calabria, al quale ha partecipato anche una delegazione ufficiale della Commissione Parlamentare Antimafia.

E poi Lamezia Terme, con la mobilitazione dei giovani e la prima serrata dei commercianti contro la recrudescenza degli attentati del racket e del pizzo. In questi anni vi è stata una prima anche se episodica risposta della società. Ora tocca alle istituzioni e alla politica.

La Calabria, da anni, è investita da una drammatica questione morale.

L'intera relazione è attraversata dalla narrazione dei processi degenerativi che investono le istituzioni e la gestione della cosa pubblica.

La forza della 'ndrangheta è l'altra faccia della debolezza della politica. Ma le ragioni di quest'ultima non possono essere cercate fuori dalla politica stessa. La debolezza è il perno di un sistema clientelare di potere che per riprodurre consenso e voti non può essere messo in discussione, pena la crisi della sua presa sociale. È così che questo meccanismo produce anche la passivizzazione dei cittadini, pronti ad accettare corruzione e mediazione mafiosa in assenza di diritti esigibili, di opportunità garantite – dai concorsi pubblici agli appalti – e di trasparenza delle scelte politiche e della Pubblica amministrazione.

Le continue inchieste della magistratura che, pur in assenza di sentenze definitive, colpiscono esponenti di primo piano di tutti i partiti, gli avvisi di garanzia che investono buona parte del Consiglio regionale, assessori regionali o ex assessori in carcere per reati collegati alla mafia o esponenti di primo piano dei partiti sotto processo o già condannati per corruzione, rappresentano, purtroppo, la fotografia della realtà.

Quando i partiti e la politica arrivano, lo fanno sempre dopo la magistratura e intervengono spesso solo per autotutelare un sistema che non riescono e non vogliono mettere in discussione e che fino all'azione giudiziaria era il loro sistema.

Il vecchio trasformismo meridionale sembra immutabile nel tempo. Si è evoluto nella pratica del cambio di casacca da uno schieramento all'altro in vista di ogni competizione elettorale. Pacchetti di voti vengono offerti sul mercato dello scambio immorale del consenso e chiunque si trovi a svolgere la funzione di governo, se vuole acquisirli, deve assicurare l'inamovibilità e la continuità degli interessi che quei voti esprimono, deve alimentarne il bacino clientelare, deve trattare con chi ne assicura la rappresentanza. A questo è piegata la gestione della spesa pubblica.

In intere aree della regione, come si è ampiamente dimostrato nelle pagine precedenti, questi interessi e questi voti sono alimentati e gestiti sul mercato della politica dalle famiglie della 'ndrangheta.

La pervasività delle ricchezze e degli interessi della 'ndrangheta, il blocco sociale dell'illegalità che unisce il disoccupato alla borghesia mafiosa che gestisce le finanze delle 'ndrine e ne cura i rapporti politici e istituzionali, l'inquinamento della Pubblica amministrazione, ci indicano la strada difficile da percorrere: colpire i patrimoni, le finanze delle cosche, intercettare i circuiti del riciclaggio, destinare le sue ricchezze a un uso sociale.

La lotta contro la 'ndrangheta, vede impegnati quotidianamente donne e uomini dello Stato, della magistratura e delle forze di polizia, in un corpo a corpo quotidiano sul territorio. L'arresto di Pasquale Condello, uno dei capi indiscussi ricercato da quattro lustri, il primo dei calabresi nell'elenco dei 30 più pericolosi latitanti predisposto dal ministero dell'Interno, dimostra che è possibile colpire i più alti livelli delle cosche.

Ma lo Stato deve operare verso la Calabria le stesse scelte compiute, in altre stagioni, verso altre parti del Paese. Lo deve fare anche il Consiglio Superiore della Magistratura, che non può guardare alla frontiera degli uffici giudiziari calabresi senza coglierne l'esposizione in prima linea.

Rimane tutta da conquistare una dimensione culturale, sociale e morale della lotta alla mafia.

In Calabria la 'ndrangheta non può essere sconfitta senza la ricostruzione di un'etica pubblica e l'affermarsi di un processo di riforma radicale della politica, a partire dalla selezione delle classi dirigenti dei partiti e delle loro rappresentanze istituzionali, sulla cui trasparenza e moralità pubblica non deve esistere alcuna ombra.

C'è una società che chiede e ha diritto a questa svolta.

La risposta è nelle mani delle istituzioni repubblicane e di ogni cittadina e ogni cittadino della Calabria e dell'intero Paese.

RINGRAZIAMENTI

Per la realizzazione di questa Relazione voglio ringraziare per il lavoro, i suggerimenti, i contributi e la fatica svolta: Andrea Caridi, Marcello Carnevale, Gianrico Carofiglio, Enzo Ciconte, Giovanni Cuccurachi, Riccardo Guido, Giovanna Montanaro, Gino Parisi, Pasquale Porzio, Giovanni Russo, Gioacchino Scaduto, Umberto Ursetta.
Un grazie per i consigli e i suggerimenti ad Alberto Cisterna, Maurizio Grigo, Emilio Ledonne, Enzo Macrì, Guido Salvini.
Un ringraziamento particolare ai funzionari e alla segreteria della Commissione Parlamentare Antimafia che a Camere sciolte hanno accettato di tenere aperti gli uffici anche sabato e domenica.
Non ce l'avremmo fatta a portare a compimento questo lavoro senza la disponibilità dei finanzieri dell'archivio della Commissione antimafia.

INDICE DEI LUOGHI

Stampato nel giugno 2008
per conto di Baldini Castoldi Dalai *editore* S.p.A.
da *Grafica Veneta* S.p.A. - Trebaseleghe (PD)